# 기업가정신과 공룡능선

(30년 등산가가 안내하는 기업가정신)

지영삼 지음

기업가정신과 공룡능선
(30년 등산가가 안내하는 기업가정신)

| | |
|---|---|
| **발행** | 2024년 5월 15일 |
| **저자** | 지영삼 |
| **디자인** | 어비, 미드저니 |
| **편집** | 어비 |
| **펴낸이** | 송태민 |
| **펴낸곳** | 열린 인공지능 |
| **출판사등록** | 2023.03.09.(제2023-16호) |
| **주소** | 서울특별시 영등포구 영동포로 112 |
| **전화** | (0505)044-0088 |
| **E-mail** | book@uhbee.net |
| **ISBN** | 979-11-94006-20-6 |

www.OpenAIBooks.shop

# 기업가정신과 공룡능선

### (30년 등산가가 안내하는 기업가정신)

지영삼 지음

머리말

# 머리말

조용필의 노래 중에 킬로만자로의 표범은 그 곡의 완성도 뿐만 아니라 노랫말에서 느낄 수 있는 매력으로 많은 사람들이 계속해서 듣고 즐기며 애창하는 곡이다. 이 곡의 내용은 과거와 현재의 어려움과 역경을 극복하고 새로운 희망을 위해 한 걸음 나아가는 모든 인생들에 대해 공감을 하고 격려하는 내용으로 이루어져 있다.

특히 이 노래의 작사가인 양인자씨는 2024년에 발간한 책 [그 겨울의 찻집]에서 이 노래에 대해 이렇게 소개했다.

===================================

글을 전공한 학생들이 글 직업인으로 성공하기 위해 매년 연말에 마감하는 신춘문예 공고에 글을 써 내고 기다리지만 실제 상을 타고 성공하지 못하는 이가 대부분이다. 나(양인자)의 경우에도 낙선을 한 이후에 또 다시 일 년의 무게가 다시 어깨에 내려앉을 때면 과연 이 1년을 버틸 수 있을까 캄캄할 때가 많았으며 그 때마다 당선이 될 것이라는 기대를 갖고 당선 소감을 미리 썼다. 그 목적은 내가 나를 위로하기 위해서, 격려하기 위해서, 일어나기 위해서 라고 한다.


킬리만자로의 표범 노래는 이렇게 읊조리면서 마무리가 된다.

아무리 깊은 밤일지라도

한가락 불빛으로 나는 남으리

메마르고 타버린 땅일지라도

한줄기 맑은 물소리로 나는 남으리

거센 폭풍우 초목을 휩쓸어도

꺽이지 않는 한 그루 나무 되리

내가 지금 이 세상을 살고 있는 것은

21세기가 간절히 나를 원했기 때문이야


구름인가 눈인가 저 높은 속 킬리만자로

오늘도 나는 가리 배낭을 메고

산에서 만나는 고독과 악수하며

그대로 산이 된 들 또 어떠리

=======================================

삶의 중반 나이인 50대 중반에 들어서면서 살아온 경험과 지식을 기반으로 무엇인가 기록을 남기고 싶었다. 경영학을 전공하고 대기업, 외국계기업, 중소기업, 벤처기업, 코스닥상장사에서 주로 경영자로서 배우고 경험한 기업가정신과 거창하게 에베레스트나 킬로만자로는 아니더라도 우리 나라의 최고 난이도의 설악산 공룡능선을 25차례 등산하면서 느낀 도전정신이 유사점이 있는 것을 느꼈다.

첫번째 설악산과의 만남은 대학교 2학년을 마치고 군 입대를 앞둔 시점에서 막연한 해방구를 찾고자 백담사를 찾으면서 시작되어 30년여간 매년 설악산, 특히 공룡능선을 종주하는 것을 삶의 루틴으로 하여 등산을 해 오고 있다.

대학을 졸업하고 사회 생활을 하면서 기업 경영에 관여하면서 익혀온 기업가정신과 설악산을 등반하면서 느낀 등산의 경험이 공통적으로 관통하는 핵심적인 용어로 도전정신이 그 맥을 같이 하는 것을 실감하게 되었다.


기업가정신 혹은 창업가정신은 외부환경 변화에 민감하게 대응하면서 항상 기회를 추구하고, 그 기회를 잡기 위해 혁신적인 사고와 행동을 하여, 그로 인해 시장에 새로운 가치를 창조하고자 하는 생각과 의지이다. 기업가 정신의 가장 중요한 가치로 굽히지 않는 도전 정신을 꼽고 있다.


기업가 정신은 처음에 소규모 사업체를 설계, 출시 및 운영하는 과정을 거쳐, 제품, 프로세스 또는 서비스를 제공하거나 판매하는 새로운 사업체를 설계하는 과정을 포함한다. 이러한 사업을 창조하는 사람들을 기업가라고 부른다. 기업가 정신은 이익을 창출하기 위해 기업의 이익과 함께 사업을 발전시키고, 조직을 발전시키고, 관리하고, 관리할 수 있는 능력으로 묘사된다.

2000년대에 "기업가 정신"은 어떤 개인(또는 팀)이 기회를 식별하고, 그것을 실행하고, 그리고 그들을 이용하여 새로운 상품 또는 서비스를 개발하고, 새로운 기업이나 서비스를 창출하는 것으로 정의된다. 최근의 발전은 기본적으로 확실하지 않은 기업 경영의 본질을 강조한다. 왜냐하면 그들의 존재는 이윤을 실현하기 전에 그들의 존재를 발견하거나 확인하기 전에는 발견되지 않기 때문이다. 진정한 기회는 실제로 필요한 사업 수완, 재정적 또는 사회적 자본이 부족한 기업가들에 의해서는 실현될 수가 없다.

설악산 공룡능선은 한국에서 가장 도전적이고 위험한 등산로 중 하나로 알려져 있다. 이러한 등산 경험은 끊임없는 도전, 불확실성에 대한 대비, 그리고 꾸준한 노력과 인내를 요구한다.

기업가 정신도 비슷한 특성을 공유한다. 창의적인 아이디어, 리스크 관리, 유연한 사고방식, 그리고 끊임없는 자기개발은 성공적인 기업가가 갖추어야 할 중요한 요소들이다.

# 저자 소개

공자왈, "學而時習之, 不亦說乎? '학이시습지 불역열호아'
'배우고 때때로 익히니 이 어찌 즐겁지 아니한가.'

지영삼은 본인을 호기심천국, 끊임없는 도전으로 부른다.

오퍼상이 되고 싶어 무역학을 전공하였고 경영인이 되기 위해 경영학 석사 학위를 공부하였고 산업 분야로는 무선통신 IT 기업에서의 오랜 경험이 있으며 최근에는 IT와 의학의 융합에 관심을 갖고 의학 박사 학위에 도전하고 있다. 120세까지 사는 것을 삶의 목표로 육체적으로나 정신적으로 건강을 유지하기 위해 풀코스 15회를 완주한 마라톤, 자전거와 등산을 꾸준히 하고 있다.

경영지도사, 국제경영컨설턴트, 기술거래사, ISO국제선임심사원 등의 경영자문 관련 자격을 보유하고 있으며 다양한 경력을 쌓아가고 있으며, 그 과정에는 일관된 방향성이 있는데, 경영하도로서 IT 및 의학 사업의 핵심을 꿰뚫는 기술과 경영에 대한 경력과 학력을 쌓아 경영자로서 성장하는 것이다.

단점으로 반복적인 삶을 매우 싫어한다.

하지만 30여년간 유지하는 스스로 행하는 반복적인 루틴이 있다. 바로 설악산 공룡능선 등산. 매년 10월초 설악산 공룡능선은 총천연색으로 물들여진다. 화강암 바위들과 초록색 소나무는 사계절 동일하지만 가을이 되면 노란색, 주황색 및 새빨간 단풍이 어우러진 자연의 아름다운 동양에서의 서양화 풍경은 환상적인 매력이 있고 무박2일이나 1박2일으로 종주가 가능한 고 난이도의 등산을 완주해내는 만족감은 어느 성취감에 버금가는 행복한 여정이다.

# 1장

기업가정신에 대해

현재 이 글을 읽는 모든 성인들은 부모님에 의해 잉태되어 태아에서부터 삶을 시작하여 유아, 소아, 청년기를 거쳐 중장년기를 거치는 라이프사이클을 거쳐 성장하였다.

우리가 아는 대부분의 유수한 대기업들도 대부분 창업자에 의해 창업되는 당시에는 작은 가게에 불과했다. 스티브잡스가 설립한 애플도 작은 창고에서 시작되었으며 현재 한국의 최대대기업인 삼성그룹도 대구에서 마른 국수를 팔던 이병철에 의해 창업되어 국수에 세 개의 별을 그려 넣었던 별표국수가 현재 삼성 브랜드의 모태가 되었고 소를 판 돈으로 가출해서 서울에서 경일상회라는 쌀가게를 차려 자전거로 쌀을 배달하여 사업을 시작한 정주영에 의해 창업된 경일상회가 현재 현대그룹의 시작이었으며 진주에서 포목상을 하던 구씨와 사돈인 허씨가 직접 원재료를 끓여 국내 최초의 화장품인 럭키크림을 만들면서 창업된 회사가 현재의 LG그룹(현재는 LG, LS, GS로 분리되어 있음)이다.

# 1. 국내외 기업가정신 대표 기업인

**스티브 잡스의 애플** : 스티브 잡스는 기업가정신을 통해 애플을 혁신의 상징으로 변모시켰으며 그의 비전과 창의성은 사용자 경험을 중시하는 독창적인 제품 개발로 이어졌고 이는 기술 산업의 패러다임을 변화시켰다. 그의 리더십은 지속적 혁신과 우수한 디자인에 대한 애플의 명성을 구축하는 데 핵심적이었다.

**이병철의 삼성** : 이병철은 기업가정신으로 삼성을 글로벌 기업으로 성장시킨 주역이며 그는 다양한 산업 분야로의 확장과 지속적인 혁신을 추구하며 삼성을 한국 경제의 핵심으로 이끌었다. 그의 전략적 비전과 리더십은 삼성을 세계적인 브랜드로 만드는 데 결정적인 역할을 했다.

**정주영의 현대** : 정주영은 기업가정신을 바탕으로 현대를 한국의 주요 기업 중 하나로 성장시켰다. 그의 대담한 결정과 혁신적인 경

영 방식은 건설 및 자동차 산업에서 큰 성공을 거두었고, 한국 경제 발전에 크게 기여했다. 그의 리더십과 창의력은 현대의 글로벌 성공을 가능하게 했다.

**구씨와 허씨의 LG** : 구씨와 허씨는 기업가정신을 바탕으로 LG를 성공적으로 이끌었다. 이들은 고객 중심의 혁신과 지속적인 품질 개선을 통해 LG를 글로벌 기업으로 성장시켰다. 이들의 경영 철학과 전략은 LG가 다양한 산업에서 경쟁력을 가지고 지속적으로 성장할 수 있는 기반을 마련했다.

이들 뿐만 아니라 2000년 이후에 창업된 창업가정신으로 무장하여 인류의 가치의 증진에 기여한 글로벌 IT 기업들에서도 우리는 그 사례를 찾을 수 있다.

**구글 (Larry Page & Sergey Brin)** : 구글의 창업자 래리 페이지와 세르게이 브린은 혁신적인 기업가정신으로 인터넷 검색을 재정의했다. 그들은 정보의 접근성을 극대화하고 사용자 경험을 혁신하여 구글을 세계 최대의 검색 엔진으로 만들었다. 그들의 지속적인 혁신은 구글을 IT 분야의 선도 기업으로 자리매김하게 했다.

**페이스북 (Mark Zuckerberg)** : 마크 주커버그는 기업가정신을 바탕으로 페이스북을 창립하여 소셜 미디어 혁명을 주도했다. 그의 비전은 전 세계 사람들이 연결되는 플랫폼을 만들어내는 것이었으며, 이는 페이스북을 세계적인 소셜 미디어 거인으로 만들었다. 그의 혁신은 사회적 네트워킹의 패러다임을 변화시켰다.

**페이팔 (Peter Thiel, Max Levchin 등)** : 페이팔은 기업가정신을 통해 온라인 결제 시장에 혁신을 가져왔다. 피터 틸, 맥스 레브친 등의 공동 창업자들은 안전하고 편리한 디지털 결제 방식을 도입하여 전자 상거래를 크게 발전시켰다. 페이팔은 디지털 결제의 글로벌 표준이 되었다.

**인스타그램 (Kevin Systrom & Mike Krieger)** : 케빈 시스트롬과 마이크 크리거는 기업가정신을 바탕으로 인스타그램을 창립했다. 그들은 이미지 중심의 소셜 네트워킹 플랫폼을 통해 디지털 사진 공유의 방식을 혁신했다. 이는 전 세계적으로 폭발적인 인기를 얻으며 새로운 소셜 미디어 문화를 창출했다.

**아마존 (Jeff Bezos)** : 제프 베조스는 기업가정신으로 아마존을 창립하고 전자 상거래의 선구자가 되었다. 그의 혁신적인 사업 모델과 고객 중심의 접근 방식은 아마존을 세계 최대의 온라인 소매업체로 성장시켰다. 베조스의 전략은 기존의 소매업계에 혁명을 일으켰다.

외국 사례 외에 창업한지 채 20년이 되지 않은 한국기업들의 사례를 다음과 같이 쉽게 찾아볼 수 있다.

**다음 (이재웅)** : 이재웅은 기업가정신으로 다음(Daum)을 창립하고 한국 최초의 포털 사이트 중 하나로 성장시켰다. 그의 혁신적인 아이디어와 과감한 시도는 한국 인터넷 산업의 발전에 크게 기여했다. 다음은 정보 검색 및 소셜 미디어 서비스에서 선도적인 역할을 수행했다.

**네이버 (이해진)** : 이해진은 기업가정신으로 네이버를 창립하고 한국 최대의 검색 엔진으로 성장시켰다. 그의 전략은 사용자 중심의 서비스와 지속적인 혁신에 중점을 두었다. 네이버는 검색 기술 뿐만 아니라 다양한 웹 서비스와 콘텐츠로 한국 인터넷 문화를 형성하는 데 중요한 역할을 했다.

**카카오톡 (김범수)** : 김범수는 기업가정신을 바탕으로 카카오톡을 창립하며 모바일 메신저 시장에서 혁신을 일으켰다. 카카오톡은 빠른 속도와 편리한 사용자 인터페이스로 대중적인 인기를 얻었으며, 한국 뿐만 아니라 글로벌 시장에서도 성공을 거두었다.

**토스 (이승건)** : 이승건은 기업가정신으로 토스를 창립하고 핀테크 산업에서 혁신을 주도했다. 토스는 사용자 친화적인 디자인과 간편한 금융 서비스로 빠르게 성장했다. 이승건의 비전은 기존 금융 서비스의 한계를 넘어 새로운 가능성을 탐색하는 것이었다.

**쿠팡 (김범석)** : 김범석은 기업가정신을 바탕으로 쿠팡을 창립하고 한국의 전자 상거래 시장에 혁신을 가져왔다. 그의 혁신적인 사업 모델은 빠른 배송과 사용자 중심의 경험에 중점을 두었으며, 이는 쿠팡을 빠르게 성장시키는 데 기여했다. 김범석의 리더십은 온라인 쇼핑의 편의성을 극대화하며 한국 전자 상거래 시장의 패러다임을 변화시켰다.

**배달의 민족 (김봉진)** : 김봉진은 기업가정신으로 배달의 민족을 창립하고 모바일 기반의 배달 서비스 시장에서 혁신을 주도했다. 그의 창의적인 접근 방식은 배달 앱 시장을 개척하고, 사용자와 지역 사업자 모두에게 혜택을 제공하는 플랫폼을 만들었다. 배달의 민족은 편리성과 접근성을 통해 일상 생활에 큰 변화를 가져왔다.


이미 성장한 기업 뿐만 아니라 한국에서 최근 유니콘 기업으로 평가받는 성장이 예상되는 기업들도 많다.

**메가존클라우드** : 클라우드 서비스를 제공하는 기업으로, 최근 유니콘 기업으로 선정되었다.

**시프트업** : 모바일 게임 스튜디오로, 혁신적인 게임 개발로 유니콘 기업 대열에 합류했다.

**아이지에이웍스** : 빅데이터 플랫폼을 제공하는 기업으로, 데이터 기술의 선두주자로 평가받는다.

**여기어때컴퍼니** : 숙박 O2O 서비스를 제공하는 기업으로, 새로운 유니콘 기업 중 하나이다.

**트릿지** : 데이터 및 무역 플랫폼을 운영하는 기업으로, 빠른 성장을 보이고 있다.

이러한 기업들은 각각의 분야에서 혁신적인 아이디어와 사업 모델로 주목을 받으며 한국의 스타트업 생태계에서 중요한 역할을 하고 있다

이렇듯 성장한 대기업 뿐만 아니라 각자의 산업 분야에서 나름 입지를 갖추고 있는 현재의 자본주의의 꽃인 수백만개의 기업들의 성공 DNA로 우리는 기업가정신(Entrepreneurship)을 얘기한다.

## 2. 기업가정신에 대한 학술가의 정의

기업가정신에 대한 학술가의 정의를 요약하면 아래와 같다.

슘페터(Schumpeter, 1934)는 경제학 관점에서 기업가정신을 생산적인 요소의 새로운 조합을 발견하고 촉진하는 것(과정 또는 행동), 신시장, 신제품, 신서비스, 신원재료, 신생산방법, 창조적 파괴, 신조직 등 기업가가 신조합 또는 기업조직을 수행하는 활동이라고 하였다.

키르쯔너(Kirzner, 1975)는 경제학적 관점에서 시장에서 중개 기회를 포착하는 활동 또는 경제의 불균형 상태를 해소하는 활동으로 정의하였다.

캐이슨(Casson, 1982)은 경제학적 관점에서 희소한 자원을 조정하려고 하는 판단과 의사결정 활동이라고 하였다.

하겐(Hagen, 1962)는 사회학적 관점에서 사회적 불평등에 대한 대응 활동이라고 하였다.

맥클랜드(McClelland, 1961)은 심리학 관점에서 개인이 적절하다고 판단하는 위험에 대한 도전 성향으로 정의하였다.

가트너(Gartner, 1985)는 경영학적 관점에서 단순하에 신조직의 창조 활동으로 정의하였다.

스티븐슨(Stevenson, 1989)은 경영학 관점에서 현재 보유하고 잇는 자원을 뛰어넘는 기회를 추구하는 활동이라고 정의하였다.

## 3. 기업가정신의 핵심 요소

기업가정신(Entrepreneurship)은 사업 기회를 찾고, 이를 평가하며, 필요한 자원을 모아 새로운 사업을 창출하거나 혁신을 추구하는 과정이다. 이는 단순히 사업을 시작하는 것을 넘어서, 경제적, 사회적 가치를 창출하는 것을 목표로 한다. 기업가 정신에 대해 다양한 해석이 있지만 기업가정신의 핵심요소는 다음과 같다.

① 기회 발견과 평가 : 기업가는 시장에서 미충족 수요나 문제를 발견하고, 이를 해결할 수 있는 기회로 평가한다.

② 혁신 : 새로운 아이디어, 제품, 서비스, 또는 운영 방식을 도입하여 기존 시장에 변화를 가져오는 것이다.

③ 위험 감수 : 모든 사업에는 실패의 위험이 따르며, 기업가는 이러한 위험을 감수하고 대처한다.

④ 자원 조달과 관리 : 필요한 자본, 인력, 기술 등의 자원을 확보

하고 효율적으로 관리하는 능력이 요구된다.

⑤ 지속 가능성과 성장 : 기업가는 사업을 지속 가능하게 만들고 성장시키기 위한 전략을 수립한다.

기업가정신은 개인적인 차원 뿐만 아니라 사회적, 경제적 차원에서도 중요한 역할을 한다. 그것은 새로운 일자리 창출, 경제 성장 촉진, 사회 문제 해결 등에 기여할 수 있다.

## 4. 기업가정신의 10가지 덕목

이러한 기업가정신의 주요 덕목을 10가지로 정리해 본다

**혁신성 (Innovativeness)**

새로운 아이디어, 상품, 서비스를 창출하고 시장의 필요를 충족시키는 능력과 함께 기존 방식에서 벗어나 창의적이고 독창적인 해결책을 제시한다.

**위험 감수 (Risk-Taking)**

불확실한 상황에서도 의사결정을 내리고, 실패의 가능성을 감수하는 용기가 있으며, 계산된 위험을 취하고 실패를 학습의 기회로 활용한다.

**유연성 (Flexibility)**

시장 변화나 예상치 못한 상황에 빠르게 적응하는 능력이며전략

적 유연성을 통해 변화하는 환경에 효과적으로 대응할 준비가 되어 있다.

## 지속성 (Perseverance)

어려움과 실패에도 불구하고 목표를 향해 꾸준히 노력하는 태도를 갖추고 있으며 장기적인 목표 달성을 위한 인내와 끈기가 있다.

## 비전 (Vision)

미래에 대한 명확한 구상과 목표 설정을 하며, 사업의 장기적 방향성과 목적을 설정하고, 이를 팀과 공유한다.

## 자기 주도성 (Self-Motivation)

내부적 동기 부여로 스스로를 격려하고 추진력을 유지하는 능력을 보유하고 있고 목표 달성을 위해 스스로를 독려하고, 자기 관리 능력을 갖고 있다.

## 적응력 (Adaptability)

변화하는 시장과 기술에 민감하게 반응하고 적응하며, 새로운 정보와 상황에 따라 전략을 조정하는 능력이 있다.

## 결단력 (Decisiveness)

중요한 결정을 신속하고 효과적으로 내리는 능력과 함께 정보와 데이터 분석을 바탕으로 신속하게 의사결정을 한다.

## 협업 (Collaboration)

다양한 팀원들과 효과적으로 협력하고, 강점을 결합하는 능력이 있고 네트워킹과 파트너십을 통해 사업적 기회를 확장할 수 있다.

## 학습 욕구 (Desire to Learn)

지속적인 학습과 개인 및 전문적 성장에 대한 열정을 보유하고 있고 새로운 기술, 동향, 업계 지식 습득을 위한 끊임없는 노력에 경주한다.

## 5. 기업가정신 덕목과 일반 경영자의 차이

위에 소개한 기업가 정신의 10가지 덕목에 대해 혁신적인 기업가와 일반적인 경영자의 자세 관점에서 그 차이점과 유사점을 표로 정리해 본다. 일반적인 경영자는 기존 시장에서 안정적으로 사업을 운영하는 데 중점을 두는 반면, 기업가 정신에 투철한 혁신 기업가는 혁신과 시장 변화를 선도하는 데 더 큰 중점을 둔다.

| 기업가 정신의 덕목 | 일반적인 경영자의 자세 | 차이점 | 유사점 |
|---|---|---|---|
| 혁신성 | 안정성 추구 | 혁신기업가는 새로운 아이디어와 변화를 추구하는 반면, 일반경영자는 검증된 방법과 안정적 운영을 선호함 | 둘 다 시장의 필요와 고객 만족에 초점 |

| 위험 감수 | 위험 회피 | 혁신기업가는 위험을 감수하고 도전하는 경향이 있으나, 일반경영자는 더 조심스럽고 위험을 회피함 | 모두 비즈니스 결정에서 신중함 요구 |
|---|---|---|---|
| 유연성 | 일관성 | 혁신기업가는 변화에 빠르게 적응하는 반면, 일반경영자는 일관된 접근과 전략을 선호함 | 양측 모두 상황에 따른 적절한 대응 필요 |
| 지속성 | 장기적 관점 | 혁신기업가는 지속적으로 새로운 목표를 추구하는 반면, 일반경영자는 기존 사업의 장기적 안정에 중점을 둠 | 둘 다 장기적인 사업 성공에 초점 |
| 비전 | 실용주의 | 혁신기업가는 대담한 비전을 가짐에 반해, 일반경영자는 보다 현실적이고 실용적인 접근을 선호함 | 비즈니스 성장과 성공을 위한 명확한 목표 설정 |
| 자기 주도성 | 책임감 | 혁신기업가는 자기 주도적인 동기 부여가 강하지만, 일반경영자는 사업에 대한 책임감을 더 강조함 | 높은 수준의 동기 부여와 헌신 필요 |
| 적응력 | 계획성 | 혁신기업가는 시장 변화에 민첩하게 적응하는 반면, 일반경영자는 장기적 계획과 예측에 더 집중함 | 변화에 대한 적절한 대응 필요성 |
| 결단력 | 신중함 | 혁신기업가는 신속한 결정을 내리는 경향이 있으나, 일반경영자는 보다 신중하고 고려된 결정을 선호 | 결정의 중요성과 영향 인식 |
| 협업 | 팀 관리 | 혁신기업가는 협업을 통한 혁신을 추구하는 반면, 일반경영자는 팀 관리와 운영의 효율성에 중점 | 효과적인 팀워크와 관리의 필요성 |
| 학습 욕구 | 경험 중시 | 혁신기업가는 지속적인 학습과 새로운 기술 습득에 중점을 두는 반면 일반경영자는 기존의 경험을 기반으로 하여 의사결정을 함 | 학습 혹은 경험 기반의 의사결정 |

\<봉정암에서 바라 본 저녁 노을 빛의 공룡능선\>

# 2장

설악산 공룡능선

# 1. 공룡능선 안내

## ①. 설악산과 공룡능선에 대한 간략한 소개

설악산은 1,708m 대청봉을 주봉우리로 대한민국 강원도에 위치한 우리나라 국립공원 100경 중 제1경인 명산으로, 여러 능선과 봉우리로 이루어져 있다. 주요 능선으로는 백두대간의 일부인 소청, 중청, 대청으로 이루어진 주능선과 공룡능선 그리고 화채능선, 서북능선, 용아장성이 있고, 주요 봉우리로는 대청봉(1,708m), 끝청봉, 중청봉, 소청봉, 1275봉, 범봉, 나한봉, 세종봉, 옥녀봉, 화채봉, 칠성봉, 집선봉, 황철봉, 귀떼기청봉, 큰감투봉, 작은감투봉, 달마봉이 있으며, 미시령, 저항령, 마등령, 한계령으로 이루어져 있다. 또한 비룡폭포, 오련폭포, 천당폭포, 토왕성폭포, 오세폭포, 쌍룡폭포, 소승폭포, 대승폭포, 두문폭포, 여심폭포, 등선폭포, 치마폭포, 십이폭포, 설악폭포 등과 함께 백담계곡, 수렴동계곡, 구곡담계곡, 가야동계곡, 십이선녀탕계곡 등의 계곡이 각자 여러 이름을 붙일 정도로 다양한 독특한 형태를 갖고 그 빼어남을 자랑한다.

설악산의 중심에 자리 잡은 공룡능선은 그 이름에서 암시하듯 마치 거대한 공룡의 등을 연상시키는 독특한 형태를 자랑한다. 이 능선은 설악산 국립공원 내에서도 특히 아름답고 도전적인 트레킹 코스로 잘 알려져 있다. 대청봉을 포함하여 다양한 봉우리들이 이어져 있으며, 그 사이사이에는 깊은 계곡과 맑은 시냇물이 흐르고 있어 등산객들에게 잊을 수 없는 자연의 경이로움을 선사한다. 공룡능선을 따라 걷는 것은 마치 설악산의 심장을 걷는 것과 같은 경험을 제공한다.

설악산 등산코스는 공룡능선코스, 한계령코스, 오색코스, 울산바위코스, 비룡폭포코스, 백담사코스 등 다양한 코스가 있다.

## ②. 공룡능선의 중요성 및 인기 요인

공룡능선은 한국 등산 문화에서 중요한 위치를 차지하고 있다. 그것은 단순히 그 아름다움 때문만이 아니라, 등산자에게 요구되는 체력과 기술, 그리고 대자연 앞에서 느끼는 겸손함 때문이다. 많은 등산 애호가들은 이곳의 다양한 난이도와 높은 기술적 요구 사항 때문에 공룡능선을 한국 최고의 등산 코스 중 하나로 꼽는다. 각 계절마다 다른 매력을 보여주는 이 능선은 봄의 신록, 여름의 푸른 숲, 가을의 단풍, 겨울의 설경 등 사계절 내내 다채로운 경험을 선사한다. 이러한 다양한 문화적, 자연적, 쉽게 완주할 수 없는 도전적 요소들이 어우러져 공룡능선은 매년 수많은 등산객과 자연 애호가들을 불러모으고 있다.

## 2. 공룡능선의 지리적 특징

### ①. 위치 및 지형

공룡능선은 한국 강원도에 위치한 설악산 국립공원 내의 주요 능선으로, 설악산의 서남쪽 끝에서 시작하여 대청봉을 거쳐 동쪽으로 펼쳐져 있다. 이 능선은 마치 거대한 공룡이 땅 위에 누워 있고 등에 뾰족뾰족한 골판을 가지고 있는 공룡인 스테고사우르스와 비슷한 형상을 하고 있어 그 이름이 붙여졌다. 스테고사우르스는 중생대 쥐라기 후기 북아메리카와 포르투갈에서 살았던 조반목의 검룡류 공룡의 한 속으로 속명의 뜻은 '지붕 도마뱀'이다. 이 공룡의 가장 특이한 최대 특징은 골판이라고 부르는 척추뼈를 따라서 여러 장이 나 있는데 이 형상의 유사성은 실제 공룡능선의 여러 조망점에서 보면 이해할 수 있게 된다.

스테고사우르스의 4가지 종 중에 하나인 중국에서 발견된 위안스바산룡 복원도 [사진 출처: 중국과학보]


　이와 같이 공룡능선은 굴곡이 심하고, 뾰족한 바위와 깎아지른 듯한 절벽들로 이루어져 있어 빼어난 자연 경관과 함께 등산의 난이도에 의해 등산객들에게 도전적인 경로를 제공한다.

　특히 설악산의 여러 능선들이 백두대간과 일부만 연결되어 있는 반면에 공룡능선은 전체 능선이 백두대간의 척추를 이루고 있기 때문에 공룡능선의 종주는 백두대간 종주 산악인에게는 필수 경로에 해당된다.


### ②. 주요 봉우리와 주변의 명소

　설악산 공룡능선에 위치한 아름다운 봉우리와 공룡능선 주위에서 빼어난 풍경을 자랑하는 명소들이 있다.

# 신선대

<소청봉에서 조망한 공룡능선과 신선대(우측)>

신선대는 공룡능선에서 유명한 봉우리 중 하나로, 그 이름처럼 신선이 노닐 것 같은 경치를 자랑한다. 이곳에서는 설악산의 아름다움을 극적으로 조망할 수 있으며, 특히 일출과 일몰 시의 장관은 많은 사진가와 등산객들을 매혹시킨다. 신선대는 뾰족한 바위들과 가파른 경사로 이루어져 있어 등산 시 주의가 필요하지만, 정상에 오르면 그 고난을 보상받을 만큼 아름다운 풍경이 펼쳐진다.

\<신선대에서 조망한 공룡능선\>

# 천화대

<신선대에서 조망한 천화대 릿지>

천개의 꽃을 바라볼 수 있다는 천화대(天花臺)는 원래 범봉이라고 불리는 암봉을 말하는 것이었으나 현재는 비선대에서 범봉까지 이어지는 암릉 전체를 천화대라고 부르고 있다. 천화대에서 대(臺)란 높이 쌓아 올린 곳을 말한다. 천화대의 다른 이름은 연화대이다. 연꽃의 전망대라는 뜻이다. 설악산을 구분하는 내설악과 외설악 중에 외설악의 가운데에 자리하는 천화대는 두루두루 둘러볼 수 있는 연꽃의 중앙에 앉아있는 느낌을 가질 수 있기 때문이다.

천화대 릿지는 전체적으로 특별히 어려운 곳은 없으나 코스가 길고 여러 등산팀으로 인하여 정체시간이 많아 초보자가 있거나 일행이 많을 때에는 당일 등산이 어렵다. 또한 비상 탈출시에도 경사가 가파르며 낙석의 위험이 있으므로 유의해야 한다.

암벽등산 기본을 알고 5.6급 정도의 등산을 할 수 있다면 무난한 코스이고, 충분한 물과 해드랜턴과 짧은 슬링은 반드시 준비해야 하며 비선대에서 범봉까지 2인 1조일 경우 약 10시간 정도 소요된다.

이곳에서는 설악산의 광대한 자연과 어우러진 장엄한 경관을 감상할 수 있으며, 특히 구름 사이로 빛나는 햇살과 어우러진 풍경은 장관이다. 천화대는 비교적 접근하기 쉬운 봉우리 중 하나이지만, 여전히 설악산의 아름다움을 만끽할 수 있는 최적의 장소이다.

# 범봉

\<신선대에서 조망한 범봉\>

범봉은 공룡능선에서 독특한 모양을 자랑하는 봉우리이다. 범봉은 공룡능선에서 그 이름처럼 돛단배, 즉 '범선'과 같은 형상을 하고 있는 봉우리이다. 이 독특한 지형은 마치 바다 위를 항해하는 범선을 연상시키며, 이 때문에 많은 등산객들에게 인상 깊은 경험을 제공한다. 범봉은 암벽등반으로만 오를 수 있고 비탐방 등산로이므로 등반은 허용되지 않는다. 신선대에서 범봉을 포함해서 그 주위를 감상하는 파노라마식 경치는 등산객들에게 잊을 수 없는 추억을 선사한다. 이곳은 특히 일출이나 일몰 때 방문하면 더욱 매혹적인 풍경을 즐길 수 있다.

# 용아장성

<신선대에서 조망한 용아장성>

龍牙長城(용아장성)은 내설악인 공룡능선의 서편에 위치한 고위 험도 때문에 등산이 허가되지 않는 긴 장성이며 공룡능선 종주 중에 계속해서 그 풍경을 감상할 수 있다. 설악산의 서북측인 백담사에서 출발하여 수렴동 대피소에서 약 7분 정도 오르면 사망사고 안내판이 세워져 있는 지점이 있는데 그 곳이 용의 어금니같이 생긴 뾰쪽한 20여개의 암봉들이 줄지어 서 있는 용아장성의 아래쪽 들머리에 해당하는 곳이다. "죽음의 능선..... 이래도 꼭 가셔야겠습니까? 죽음의 능선"이라는 푯말이 붙어 있을 정도로 매년, 추락사망 사고가 발생하고 있는 용아장성은 산악인들의 안전을 위해 비법정 탐방로로 지정되어 있기 때문에 절대 등산을 해서는 않 되는 곳이다

현재, 명승 102호이자, 국립 공원 100경으로 지정되어 있는 용아장성의 명칭 유래는 "용 龍(용)" "어금니 牙(아)"란 한자를 사용하는 데서 알 수 있듯이. 용의 어금니같이 뾰쪽하고 날카로운 바위 봉우리들이 마치 중세의 城(성)처럼 길게 둘러 쳐져 있으며, 20여개의 크고 작은 암봉들이 용의 송곳니처럼 솟아 있다 하여, 어느 일본 산악인이 이름을 지었다고 한다.

용의 우렁찬 기상이 꿈틀대고 있는 듯한 용아장성은 수렴동 대피소 뒷편에 솟아 있는 첫 번째 봉우리인 해발 811미터 옥녀봉을 시작으로 뜀바위~개구멍바위~1봉에서 4봉~손가락 바위~5봉에서 7봉~고래등바위~8봉~9봉~직벽 등 20여개의 뾰쪽한 암봉들이 봉정암 사리탑 부근까지의 약 5키로 구간에 걸쳐 형성된 암릉이며, 가야동 계곡과 구곡담 계곡을 가르고 있다.

용의 송곳니같이 무섭고도 날카로운 용아장성의 암봉들을 운해가 휘감기 시작하면, 용아장성은 마치 신선이 구름을 타고 내려 오는 듯 환상적이고도 경이로운 비경을 보여 준다.

내설악의 백미이자, 핵심적인 경관을 자랑하고 있는 명승 제 102호인 용아장성에서는 동쪽으로는 가야동 계곡과 명승 제 104호인 해발 922미터의 내설악 만경대, 그리고 명승 제 103호인 공룡능선을 조망할 수 있고, 서쪽으로는 명승 제 99호인 수렴동 계곡, 구곡담 계곡과 함께 장대하고 웅장한 서북능선의 시원한 능선을 즐길 수 있다

&lt;1275봉에서 조망한 용아장성&gt;

# 1275봉

<공룡능선의 정중앙에 위치한 1275봉>

1275봉은 고도가 1,275m인 공룡능선의 봉우리로, 공룡능선이 정중앙에 위치해 있어서 체력을 점검해 보면서 공룡능선의 후반부를 위해 잠시 쉴 수 있는 안부에서 잠시 중급의 릿지를 해야 오를 수 있는 봉우리이다. 이 역시 험난한 등산로와 아름다운 자연 경관으로 유명하며, 정상에서는 설악산의 광활한 전망을 감상할 수 있다. 1275봉은 등산로가 다소 어렵고 험준하지만, 그만큼 도전적이고 보람찬 경험을 제공한다.

# 큰새봉

<나한봉 근처에서 조망한 큰새봉>

　큰새봉은 공룡능선에서 중요한 봉우리 중 하나로, 그 이름에서 암시하는 것처럼 마치 큰 새가 날개를 펴고 있는 듯한 모양을 하고 있다. 이 봉우리는 등산객들에게 탁월한 전망을 제공하며, 특히 가을철에는 주변의 단풍이 매우 아름다워 많은 등산객들의 사랑을 받는다. 큰새봉은 가파른 경사와 뾰족한 바위들로 인해 등산하기에 다소 도전적이지만, 그만큼의 보람을 느낄 수 있는 곳이다.

## 나한봉

<큰새봉에서 조망한 나한봉>

나한봉은 설악산의 공룡능선에 위치한 봉우리 중 하나로, 해발 1,276m이다. 명칭은 불교에서 부처님의 제자 중 아라한과를 얻은 나한에서 유래되었다. 공룡능선의 중간에서 동북측 지점에 위치하며, 1275봉과 마등령 사이에 있다. 경사가 급하고 바위가 많아 등산이 어려운 구간 중 하나이며 신선대에서 공룡능선을 종주를 시작한 등산객에게는 공룡능선의 후반부임을 알리는 봉우리이기도 하다.

# 마등령

&lt;마등령, 황철봉과 멀리 보이는 저항령&gt;

마등령은 공룡능선에 위치한 또 다른 중요한 봉우리로, 그 이름은 '말의 등'과 같은 형상을 하고 있다고 해서 붙여진 이름이다. 마등령은 공룡능선의 북측 들머리로 동쪽 외설악 방향으로는 비선대, 서쪽 내설악 방향으로는 오세암을 잇는 옛날 지게꾼이 넘던 길의 쉼터이었으며, 설악동 비선대 방향으로는 천화대, 천불동과 함께 세존봉을 감상할 수 있으며 특히 가을철에는 주변의 단풍과 어우러져 더욱 화려한 경치를 자랑한다.

### 동물바위들

공룡능선에는 공룡만 사는 것이 아니라, 화강암 바위가 많이 형성되어 있기 때문에 다양한 동물형상을 하는 바위를 쉽게 찾을 수 있다. 킹콩, 백마, 불독, 강아지, 누에 등의 이름을 갖다 붙이기 좋은 바위들을 만나는 재미가 있다.

<킹콩바위>

<말머리, 불독 바위>

<강아지바위(왼쪽)와 누에바위(오른쪽)>

# 3. 공룡능선 등산 코스

공룡능선을 오르는 데에는 여러 등산코스가 있는데, 크게 당일코스, 무박2일코스 및 1박2일 코스로 구분되며, 이 중 1박2일코스로 등산을 하게 되면 적당한 여유로움을 갖고 설악산의 풍성한 아름다움을 즐길 수 있다.

## ①. 당일 코스

### A. 설악동 코스

설악동에서 출발하여 비선대에서 금강굴을 지나 마등령에 올라 공룡능선의 북측에서 시작하는 코스로 큰새봉, 나한봉, 1275봉, 신선대를 거쳐 무너미고개에서 공룡능선을 마치고 천불동을 거쳐 설악동으로 복귀하는 삼각형 모양의 코스이다. 대략 12시간(설악동→비선대→마등령 4시간, 공룡능선 4시간, 무너미고개→천불동→비선대→설악동 4시간)이 소요되는 경로이다. 통상 설악동에서 새벽 2시 혹은 3시에 출발하여 설악동 원점에 오후 2시에서 3시에 도착하며 등산거리는 21km이다.

## B. 천불동 코스

설악동에서 출발하여 비선대에서 천불동으로 올라 공룡능선의 남측인 무너미고개에서 등산을 시작하여 신선대, 1275봉, 나한봉, 큰새봉을 거쳐 마등령에서 공룡능선을 마치고 비선대로 급하강하여 설악동으로 회귀하는 코스이다. 대략 12시간(설악동→비선대→무너미고개 4시간, 공룡능선 4시간, 마등령→비선대→설악동 3시간)이 소요되는 경로이다.

## C. 설악동-오색 코스

공룡능선 종주까지는 설악동코스와 동일하나 공룡능선 끝지점인 무너미고개에서 천불동으로 하산하지 않고 소청봉과 대청봉을 거쳐 오색약수터로 하산하는 코스로 공룡능선 종주 이후에도 고도를 올려야 하므로 난이도가 높은 코스이다. 대략 14시간(설악동→비선대→마등령 4시간, 공룡능선 4시간, 무너미고개→소청봉→중청봉→대청봉 3시간, 대청봉→오색약수터 3시간)이 소요되는 경로이다. 통상 설악동에서 새벽 2시 혹은 3시에 출발하여 오색약수터에 오후 4시에서 5시에 도착하며 등산거리는 19km이다.

## ②. 무박2일 코스

무박2일 코스는 수도권에서 첫째 날 밤 11~12시 경에 출발하는 단체산악회 버스를 이용하여 버스에서 2시간 정도의 짧은 쪽잠을 자면서 제대로 숙면을 취하지 않고 등산을 하며 설악산의 주봉인 대청봉(1,708m)을 거쳐 공룡능선을 종주하는 코스이다. 충분한 수면을 취하지 않으면서 장거리 등산을 해야 하기 때문에 반드시 체력이 뒷받침되어야 한다.

## A. 오색 코스

보통 수도권에서 단체 산악회를 이용하며 설악산의 주봉인 대청봉(1,708m)을 거치면서 공룡능선까지 등산하는 코스로 오색약수터, 대청봉, 중청산장, 소청봉, 희운각대피소를 거쳐 공룡능선의 남측인 무너미고개에서 등산을 시작하여 신선대, 1275봉, 나한봉, 큰새봉을 거쳐 마등령에서 공룡능선을 마치고 비선대로 급하강하여 설악동에 도착하는 코스이다. 비선대로 하강하기 전에 금강굴에 잠시 올라 긴 등산을 멋진 경치와 함께 마치는 것을 추천하는 코스이기도 하다.

대략 13시간(오색약수터➔대청봉 4시간, 대청봉➔소청봉➔희운각 2시간, 공룡능선 4시간, 마등령➔비선대➔설악동 3시간)이 소요되는 경로이다. 통상 오색약수터에서 새벽 3시에 출발하여 설악동 원점에 오후 4시에 도착하며 등산거리는 20km이다.

## B. 한계령 코스

오색코스와 유사한 코스이나 등산 시작점이 한계령이며 통상 중청대피소부터 오색코스와 동일한 경로로 공룡능선을 종주한다. 오색코스에 대비하여 중청산장까지 5시간 정도가 소요되기 때문에 체력적인 부담으로 대청봉(1,708m)을 거치지 않는 경우도 많다. 오색코스에 비해 1시간 정도 더 소요되고 체력적 부담이 크기 때문에 마등령에서 비선대로 하강하면서 금강굴을 거치는 것이 부담스러울 수 있다.

이 책에서 예시된 공룡능선 코스 중에 체력적으로 가장 부담이 되는 코스이며, 대략 14시간(한계령→한계삼거리→끝청→중청산장 5시간, 중청산장→소청봉→희운각 2시간, 공룡능선 4시간, 마등령→비선대→설악동 3시간)이 소요되는 경로이다. 통상 한계령에서 새벽 3시에 출발하여 설악동 원점에 오후 5시에 도착한다.

## ③. 1박2일 코스

### A. 백담사-소청산장 코스

공룡능선 종주 코스 중에 가장 추천하고 싶은 등산경로이며 숙소를 설악산의 고지의 산장에서 보낼 수 있기 때문에 깊은 산속에서의 낭만도 즐길 수 있다. 전반적으로 여유있게 등산을 진행하기 때문에 아름다운 설악산의 풍경을 눈과 머리속에 충분히 담아둘 수 있다.

보통 새벽 6시쯤 수도권에서 직행버스를 이용해 출발하여 백담사입구에서 아침을 먹고 숙소인 소청산장이나 중청산장으로 올라 산장에서 1박을 하고 다음 날 새벽 3시 경에 기상하여 공룡능선을 종주하고 당일이나 무박2일에 비해 일찍 등산을 마칠 수 있다.

첫날은 대략 7시간 등산, 이튿날은 9시간 등산을 하여 총 16시간(백담사입구→백담사→영시암 2시간, 영시암삼거리→수렴동산장→봉정암→소청산장(혹은 중청산장) 5시간, 산장 숙박, 소청산장→소청봉→희운각 2시간, 공룡능선 4시간, 마등령→비선대→설악동 3시간)이 소요되는 경로이다. 이틀에 걸쳐 등산을 하므로 상대적인 난이도가 낮을 수는 있으나 총 등산거리가 길기 때문에 이튿날 피로회복에 실패하면 공룡능성 종주에 어려움이 있을 수 있으므로, 사전에 장거리등산에 대한 충분한 연습도 필요하다.

소청산장이나 중청산장의 예약이 상당히 어려우므로 봉정암에서도 기도도 하고 잠시 눈을 부치는 방법도 가능하지만 등산의 목적이라면 충분한 숙면이 어려우므로 플랜B로서 선택함이 옳을 듯 하다.


## B. 오세암 코스

백담사 코스와 출발점은 동일하나 숙소를 오세암으로 하여 공룡능선의 시작점을 북측인 마등령으로 하게 된다. 깊숙한 골짜기에 자리잡은 오세암에서 깊은 산중의 무게감을 느낄 수 있는 경험도 할 수 있으며 첫날 저녁식사를 오세암에서 공양을 하여 절밥을 먹는 독특한 경험을 할 수 있다.

첫날은 대략 4시간 등산, 이튿날은 9시간 등산을 하여 총 13시간(백담사입구➔백담사➔영시암 2시간, 영시암삼거리➔오세암 2시간, 오세암 숙박, 오세암➔마등령 1시간, 공룡능선 4시간, 무너미고개➔천불동➔비선대➔설악동 4시간)이 소요되는 경로이다. 고지대인 소청봉을 거치지 않고 마등령에서 공룡능선을 시작하므로 획득고도가 높지 않은 편이며 1박2일 등산이고 등산시간도 상대적으로 덜 소요되기 때문에 소정산장코스에 비해 난이도가 낮은 편이다.

여러 등산 코스 중에 가장 추천하는 코스는 백담사-공룡능선 1박2일 경로로 특히 10월 초순 즈음에는 아름다운 총천연색의 단풍, 화강암과 계곡을 복합적으로 즐길 수 있다. 소청산장이나 중청산장(2024년 현재는 새단장 중으로 이용 불가)에서 1박을 하면 추가로 찬란히 아름다운 은하수에 빠져 들 수 있는 기회를 가질 수 있다.

# 4. 필수 등산 장비

공룡능선 등산 시 필수적인 장비로는 헤드랜턴, 스틱, 등산화, 등산복, 모자, 장갑, 백팩, 물, 간식 등이 있다. 특히, 공룡능선은 험난한 경로가 많기 때문에 미끄럼 방지가 되는 등산화와 보온성이 좋은 등산복이 필수이다. 또한, 날씨 변화에 대비하여 방수 재킷이나 우비를 준비하는 것이 좋다. 추가로, 긴 코스를 계획한다면 구급품, 휴대용 배터리 등도 준비하는 것이 안전에 도움이 된다. 여름철에는 방수 크림, 모자, 선글라스 등 자외선 차단용품도 필요하다.

공룡능선 등산 시 필요한 필수 장비 중에서 특히 등산 스틱의 중요성을 강조할 필요가 있다. 공룡능선은 경사가 매우 가파르고 험난한 지형이 많아 무릎과 관절에 상당한 부담이 가해질 수 있다. 이런 조건에서 등산 스틱은 균형을 유지하고 미끄러짐을 방지하는 데 큰 도움이 되며, 특히 하산 시 무릎에 가해지는 충격을 크게 줄여준다.

등산 스틱 사용은 체력 소모를 줄이고, 보다 안정적인 등산을 가능하게 해 준다. 스틱은 또한 날카로운 바위나 가시가 많은 부분을 지날 때 추가적인 지지점을 제공하여 안전을 증진시킵니다. 뿐만 아니라, 비탈길이나 미끄러운 지형에서의 낙상 사고를 방지하는 데도 효과적이다.

따라서 등산 스틱은 설악산 공룡능선과 같이 도전적인 코스를 정복하는 데 있어 필수적인 장비 중 하나이다. 등산 스틱 외에도 미끄럼 방지 기능이 있는 등산화, 충분한 물과 간식, 방수 재킷, 모자, 선글라스, 구급품 등을 준비하는 것이 좋으며, 여름철에는 자외선 차단용품도 필수적으로 챙겨야 한다.

# 5. 등산 중 안전 수칙 및 준수할 사항

* 등산 경로 준수 : 정해진 등산로를 벗어나지 않도록 한다. 비표시된 경로, 법정 비탐방로 등 폐쇄된 구역으로 들어가는 것은 매우 위험하다.

* 체력 관리 : 자신의 체력과 상태에 맞춰 등산 속도를 조절한다. 지나친 체력 소모는 부상이나 긴급 상황을 초래할 수 있다.

* 그룹 유지 : 혼자서 이탈하지 말고 그룹과 함께 움직이세요. 특히 시야가 제한되는 안개나 야간 등산 시에는 서로를 잃어버리지 않도록 주의한다.

* 자연 보호 : 야생 동식물을 해치지 않도록 하며, 꽃이나 식물을 채취하는 행위는 삼가한다.

* 소음 자제 : 큰 소음은 야생동물에게 스트레스를 줄 수 있으므

로, 조용히 행동하는 것이 중요하다.

* 쓰레기 관리 : 모든 쓰레기는 되가져가야 한다. 자연 속 쓰레기는 환경에 심각한 피해를 줄 수 있다.

# 3장

기업가정신 등산하기
(기업가정신과 공룡능선 등산)

기업가정신과 등산의 유사성을 자세히 살펴보면, 두 분야 모두 개인의 성장, 도전, 그리고 목표 달성을 위한 지속적인 노력이 필요하다는 점에서 공통점이 있다.

**도전과 위험 관리** : 기업가정신에서의 새로운 사업 시작인 창업과 등산에서의 어려운 등산은 모두 높은 도전을 의미한다. 두 분야 모두 위험을 관리하고, 불확실한 상황에 대비하는 능력이 필요하다.

계획과 전략 : 성공적인 기업 운영과 등산은 모두 철저한 계획과 전략적 접근을 필요 요건으로 한다. 목표를 설정하고, 달성을 위한 구체적인 계획을 세우는 것을 안전하고 성공적인 목표의 달성에 필수적인 요인이다.

**학습과 성장** : 기업가는 시장 변화와 경쟁에 대응하기 위해 지속

적으로 학습하고, 등산가는 더 높은 산을 오르기 위해 기술과 체력을 키우며 두 분야 모두 개인의 성장과 발전에 중점을 둔다.

**극복과 회복력** : 실패와 어려움은 기업가정신과 등산 과정에서 흔히 마주치며 해결해야 하는 도전과제이다. 이를 극복하고 회복하는 능력은 성공으로 가는 길에 필수 요인임은 두말할 나위가 없다.

이러한 유사성을 통해, 기업가정신과 등산은 공통적으로 개인의 열정, 지속적인 노력, 그리고 목표를 향한 끈기가 성공으로 이끄는 핵심 요소임을 알 수 있다.

등산과 기업 운영의 과정을 도전의 시작과 완료 이후 까지를 비교하여 시계열로 정리해 본다.

# 1. 도전의 시작 – 공룡능선의 첫 발걸음과 창업의 시작

설악산 공룡능선 등산의 준비 과정과 창업 준비 과정은 유사한 부분이 많다. 모험과 도전에 대한 마음가짐을 중심으로, 양측의 준비 과정이 어떻게 서로를 비추는지를 정리해 본다.

설악산 공룡능선은 그 높이와 험난함으로 인해 등산가들에게 극한의 도전의 마음가짐이 필요하며 등산가들은 이 도전에 임하기 위해 철저한 준비를 해야 한다. 경로 연구, 필요한 장비 준비, 충분한 영양의 확보, 사전 체력 훈련 등이 포함된다. 마찬가지로, 창업가들은 자신의 사업을 시작하기 전에 시장 조사, 자금 마련, 위험에 대한 대비, 사업 계획 수립 등을 통해 철저한 준비를 해야 한다.

공룡능선을 등산하기 위한 준비가 창업을 위한 준비와 어떻게 유시한지를 살펴본다. 등산과 창업 모두에서 철저한 준비는 성공의 핵심 요소이다. 등산 준비는 위험을 최소화하고, 목표를 효과적으로 달성하기 위한 전략을 세우는 것을 의미한다. 창업 준비도 비슷한 방식으로, 시장에서의 리스크를 관리하고, 사업의 성공 가능성을 극대화하기 위한 전략을 수립하는 것을 포함한다.

모험과 도전에 대한 마음가짐이 필요하다. 공룡능선의 정복은 단순한 물리적 활동을 넘어서, 정신적인 준비와 강한 의지가 필요하다. 이는 창업가에게도 마찬가지로 창업가는 불확실한 시장 환경 속에서 끊임없는 도전에 직면하며, 이를 극복하기 위해서는 강한 의지력과 끊임없는 동기부여가 필요하다.

정리해 보면, 공룡능선의 등산 준비와 창업 준비 과정이 어떻게 개인의 역량을 강화시키고, 도전을 극복할 수 있는 능력을 키워주는지를 강조한다. 두 과정 모두 개인의 한계를 뛰어넘는 것을 요구하며, 이를 통해 얻은 경험과 교훈은 개인의 성장과 발전에 큰 도움이 된다.

## 2. 기업의 성장 과정 - 등산의 난이도와 기업의 규모

등산과 기업가정신과 비교하면서, 등산도 처음에는 낮고 쉬운 산에서 시작해서 어려운 고난이도의 등산을 할 수 있게 되는 것처럼, 기업가도 처음에는 작은 소상공인이나 자영업자에서 시작해서 기업가정신을 실천하여 중견 및 대기업으로 성장한다.

시작의 단계 : 쉬운 산과 소규모 사업

등산은 낮고 쉬운 산에서 시작하는 것이 일반적이다. 이 초기 단계에서 등산가들은 기본적인 등산 기술을 배우고, 체력을 키우며, 자연과의 조화를 경험한다. 마찬가지로, 많은 기업가들은 소규모의 자영업이나 소상공인으로 시작하여 사업의 기본을 배웁니다. 이 단계는 시장을 이해하고, 고객 관계를 구축하며, 기본적인 경영 능력을 개발하는 데 중요하다.

### 능력과 경험의 증진 : 중간 난이도의 등산과 사업 확장

등산가가 경험을 쌓으면 중간 난이도의 산을 등산하기 시작한다. 이 단계에서는 더 복잡한 경로, 변화하는 기상 조건 등에 적응하며 등산 기술을 향상시킵니다. 비슷하게, 기업가도 사업을 확장하여 중소기업으로 성장하게 된다. 이 과정에서는 시장 확대, 팀 관리, 재무 관리 등 보다 복잡한 경영 문제를 해결해야 한다.

### 고난이도 도전 : 어려운 산과 대규모 기업 운영

고난이도 등산은 등산가에게 큰 도전을 제공한다. 험난한 산과 릿지 등산은 뛰어난 기술, 체력, 정신력을 요구한다. 이와 유사하게, 기업가는 기업가정신을 실천하여 자신의 사업을 대규모 기업으로 성장시키게 된다. 이 단계에서는 시장 리더십, 혁신, 글로벌 전략 등이 중요해 진다.

### 지속적인 발전과 성장

등산과 기업 경영 모두 지속적인 학습, 발전, 그리고 도전이 필요하다. 끊임없이 새로운 목표를 설정하고, 새로운 기술과 전략을 배우며, 자신을 끊임없이 도전하는 것이 성공의 핵심이다. 이러한 과정을 통해 개인과 조직은 지속 가능한 성장과 발전을 이룰 수 있다.

## 3. 계획과 전략 – 경로 선택과 비즈니스 전략

 

 

등산 경로의 결정과 비즈니스 전략 수립의 중요성을 탐구한다. 이 장은 위험 관리와 계획의 유연성을 중심으로, 등산과 기업 경영에서의 전략적 사고의 중요성을 강조한다.

공룡능선 등산 시 가장 중요한 단계 중 하나는 내부요인인 자신의 가용시간, 등산 경험과 능력, 외부 요인인 계절과 날씨 및 공룡능선의 현지 상황을 종합적으로 고려하여 올바른 경로를 선택하는 것이다. 이는 등산의 성공 뿐만 아니라 등산가의 안전에도 직접적인 영향을 미친다. 등산가들은 기상 조건, 자신의 체력 및 경험, 장비 상태 등 다양한 요소를 고려하여 최적의 경로를 결정해야 한다. 이 과정은 기업가가 사업을 시작하거나 운영하는 데 있어서 전략을 수립하는 것과 유사하다. 기업가들은 시장 상황, 자원의 가용성, 경쟁 상태,

고객의 필요 등을 분석하여 자신의 비즈니스 전략을 결정해야 한다.

전략의 정의는 '어떤 목표에 도달하기 위한 최적의 방법'와 '조직이나 기업이 주어진 조건이나 환경에서 관리자들이 적절한 결과를 달성할 수 있도록 목적, 목표, 정책, 그리고 각 프로그램들이 서로 양립하지 않도록 조합하여 수행하는 행위' 등이 있다. 항시 우리의 모든 활동은 다양한 제약이 존재한다. 가동 가능한 시간, 역량, 예산 등의 제한 하에서 위험 관리는 등산과 기업 경영 모두에서 중요한 요소이다. 등산도 일상에서의 짧은 시간적 여유를 확보하여야 하고 체력 확보 등 사전 준비가 필요하며 금전적 예산의 제약이 있으며 기업도 제한된 인적, 자금적, 개발적 자원의 한계에서 최적의 성과를 획득하는 것이 주요 사업 전략이 된다.

계획의 유연성도 중요한 주제이다. 설악산 공룡능선 등산 중에는 예상치 못한 상황이 발생할 수 있으며, 등산가는 계획을 유연하게 조정할 수 있어야 한다. 기업 운영에서도 유사하게, 시장이나 기술의 변화에 따라 기업가는 전략을 신속하게 조정할 수 있어야 한다. 이 장에서는 이러한 유연한 계획 수립의 중요성과 그것을 실현하기 위한 전략들을 탐구한다.

시나리오 플래닝(Scenario Planning)은 조직이 미래의 불확실성을 관리하고 장기 전략을 수립하는 데 사용되는 경영학 이론이다. 이 접근법은 미래에 대한 여러 가능한 시나리오를 탐색고, 그 각각에 대한 대응 전략을 개발하는 것을 목표로 한다.

시나리오 플래닝은 미래의 복잡성과 불확실성을 인식하고, 이는 단순한 예측이 아니라, 다양한 미래의 가능성을 탐색하는 도구이며, 조직이 미래의 다양한 불확실한 상황을 접했을 때 유연하게 대응할 수 있도록 견고한 전략적 결정을 내릴 수 있도록 지원한다. 또한 시나리오 플래닝은 최악, 최선, 그리고 가장 가능성 높은 시나리오를 포함하여 여러 가지 다른 미래 상황을 고려한다. 이 과정에서 중요한 것은 각 시나리오에 대한 세부적인 분석과 이에 대한 대응 계획을 수립하도록 한다. 이는 시나리오 플래닝은 조직이 장기적인 계획과 결정을 내릴 때 중요한 참고 자료를 제공한다. 이는 조직이 더 준비된 상태로 미래에 직면할 수 있도록 돕는다.


기업가와 등산가 모두 시나리오 플래닝을 통해 미래에 대한 다각적인 이해를 바탕으로, 변화하는 환경에 효과적으로 적응하고, 장기적인 성공을 위한 전략을 수립하는 데 중요한 역할을 한다.

# 4. 선택의 순간 - 의사결정의 연속

등산과 기업가 정신에서 공통적으로 나타나는 핵심 요소 중 하나는 선택의 순간이며, 이에 따른 고민, 결정, 그리고 책임이다.

### 등산에서의 선택 : 설악산 공룡능선 사례

설악산 공룡능선 등산은 등산가에게 여러 선택의 순간을 제공한다. 예를 들어, 어느 경로를 선택할지, 어떤 장비를 사용할지, 언제 휴식을 취할지 등의 결정이 필요하다. 가장 중요한 결정 중 하나는 날씨가 갑자기 악화됐을 때, 계속 진행할지 아니면 철수할지를 결정하는 것이다. 종종 팀을 구성하여 공룡능선에 도전했을 때 예상치 못한 폭풍우에 직면하는 경우 팀 리더는 안전을 최우선으로 생각하여 하산을 결정하게 될 것이다. 이 결정은 팀원 모두의 안전을 보장했지만, 목표를 달성하지 못한 아쉬움이 남는다. 이 사례에서 중요한 점은 리더가 상황을 분석하고, 팀원들의 의견을 듣고, 최종 결정을 내린 후 그 책임을 진 것이라 할 것이다.

기업가 정신에서의 선택 : 스타트업 창업 사례

기업가 정신에서의 선택은 종종 사업의 성패를 좌우한다. 예를 들어, 한 스타트업 창업자가 시장에서 성공하기 위해 어떤 제품을 개발할 지 결정해야 하며, 시장 조사와 경쟁사 분석을 통해 결정을 내리고, 혁신적인 기술 제품을 개발하기로 결정하게 된다. 이 제품은 시장에서 큰 성공을 거두고, 창업자는 그 결정의 과정에서 수집한 정보, 예측된 위험, 그리고 본인의 직관을 신뢰한 것이 주효하였다. 이 사례는 정보에 기반한 의사결정 과정과 그에 따른 책임을 잘 보여준다.

## 의사결정을 하기 위한 고민과 책임

두 사례 모두에서 공통적으로 나타나는 것은 결정의 고민과 그에 따른 책임이다. 등산가나 기업가 모두 자신의 결정에 대한 결과를 인정하고 책임을 져야 한다. 성공적인 등산이든, 성공적인 비즈니스 운영이든, 중요한 것은 각 상황에서 최선의 결정을 내리고, 그 결과에 대해 책임을 지는 능력이다.

등산에서, 특히 위험한 환경에서의 결정은 생명이 달린 중대한 문제일 수 있다. 예를 들어, 눈사태 위험이 있는 구간에서 등산을 계속할지 여부를 결정하는 경우, 잘못된 판단은 심각한 결과를 초래할 수 있다. 이러한 상황에서 등산가는 자신의 경험, 현재 환경의 위험 요소, 팀원들의 상태 등을 종합적으로 고려하여 결정을 내려야 하며, 결정에 따른 결과에 대해 책임을 져야 한다.

기업 경영에서도 비슷한 상황이 발생한다. 예를 들어, 경기 침체기에 신제품을 출시할 지의 결정은 큰 리스크를 수반한다. 이때 기업가는 시장 상황, 재정 상태, 제품의 준비 상태 등을 고려하여 결정을 내려야 하며, 이 결정이 회사의 미래에 큰 영향을 미칠 수 있다.

### 학습과 성장

이러한 선택의 순간은 학습과 성장의 기회이다. 등산에서의 어려운 결정은 등산가로 하여금 자신의 한계와 능력을 이해하게 하며, 향후 비슷한 상황에서 더 나은 결정을 내릴 수 있도록 한다. 기업 경영에서도 마찬가지로, 어려운 결정은 기업가에게 중요한 교훈을 제공하며, 이를 통해 더 나은 리더와 결정자로 성장할 수 있다.

등산과 기업 경영 모두에서 선택의 순간은 불가피하며, 이러한 순간들은 개인의 판단력, 책임감, 그리고 능력을 시험한다. 성공적인 등산가와 기업가는 단순히 순간적인 결정에 그치지 않고, 그 결정에서 배운 교훈을 통해 지속적으로 성장하고 발전한다. 이러한 과정은 개인이 더 나은 결정을 내리고, 더 큰 도전에 맞서며, 궁극적으로 자신의 분야에서 성공을 이루는 데 필수적이다.

# 5. 직접적인 경험의 축적 - 지식의 축적은 성장 및 성공의 기반

공룡능선을 여러 번 등산하고 나면 경험이 쌓여서 다음 등산에서 적절한 예측과 함께 준비된 체력을 준비하여 효율적인 등산을 할 수 있을 것이다. 이와 비슷하게 기업을 오랫동안 운영한 기업가는 새로운 위험상황이 오더라도 어떻게 기업을 운영할 지에 대한 판단을 잘해서 위기를 극복할 수 있다.

경험의 축적 : 설악산 공룡능선을 통한 학습

공룡능선을 여러 번 등산한 등산가는 매번 등산의 어려움에 따른 집중 과정을 통해 중요한 경험을 축적하게 된다. 이러한 경험은 향후 등산에서 예상되는 난관을 예측하고, 필요한 체력과 기술을 준비하는 데 큰 도움이 된다. 예를 들어, 특정 지형의 위험성을 알고 사전에 대비책을 마련하거나, 체력 단련을 통해 더 험난한 구간을 효율적으로 통과할 수 있게 된다. 이러한 축적된 경험은 등산가가 더 안전하고 효율적인 등산을 계획하고 수행할 수 있게 해 준다.

### 기업 운영의 지혜 : 오랜 경험에서 우러나오는 통찰

장기간 기업을 운영한 경험이 있는 기업가는 다양한 경영 상황에서 통찰력을 발휘한다. 이러한 기업가는 시장 변화, 금융 위기, 경쟁사의 도전과 같은 위기 상황에서도 침착하게 판단하고 의사결정을 내린다. 오랜 경험을 통해 쌓인 지식과 통찰은 그들이 기업을 지속적으로 성장시키고 위기를 극복하는 데 중요한 역할을 한다. 예를 들어, 과거의 위기를 극복한 경험은 새로운 도전 상황에서 적절한 전략을 수립하는 데 도움이 된다.

### 등산과 기업 운영의 유사성

설악산 공룡능선 등산과 기업 운영은 경험의 축적과 그로 인한 학습이라는 공통점을 가진다. 두 분야 모두에서 경험은 미래의 도전과 위기에 대처하는 데 필수적인 역량을 구축한다. 등산에서의 위험한 상황이나 기업 운영에서의 어려움은 경험을 통해 더 나은 판단력과 대응 전략을 개발하는 기회가 된다. 이러한 경험은 개인이나 조직이 성공으로 가는 길을 찾는 데 결정적인 역할을 한다.

이러한 경험의 축적은 지속적인 학습과 성장의 중요성을 강조한다. 등산이든 기업 운영이든, 지속적인 학습은 새로운 도전과 기회에 대비하고, 개인이나 조직의 능력을 향상시키는 데 필수적이다.

경험을 통해 배운 교훈은 미래의 성공을 위한 기반을 마련하며, 끊임없는 개선과 발전을 가능하게 한다. 이러한 과정은 개인과 조직이 끊임없이 변화하는 환경에 적응하고, 새로운 성공을 이루기 위한 준비를 하는 데 중요하다.

# 6. 간접 경험의 확보 - 남의 경험을 습득하는 학습의 중요성

위의 내용은 경험을 축적한 이후에 대한 내용이고, 만일 공룡능선 등산 경험이 없거나 기업 경영 경험이 없는 경우에는 이를 극복하기 위해 사전 정보 수집, 충분한 시뮬레이션, 직접 실행, 중도에서 선택의 순간에서의 의사결정 등 다양한 문제에 직면하게 될 것이다. 이러한 것을 극복하기 위해서 컨설턴트나 등산 전문가의 도움을 받는 것이 시행착오를 최소화하는 방법의 하나이다.

사전 정보 수집과 준비 : 초심자의 접근

예전에는 지인의 경험담, 잡지기사, 책 등을 통해서, 요즘에는 통상 카페, 블로그 및 유튜브를 통해 사전 정보를 얻게 되는데, 이러한 채널들을 통한 등산 초보자나 신생 기업가의 사전 정보 수집은 필수적이다. 등산의 경우, 공룡능선의 날씨, 지형, 장비 요구 사항 등에 대한 정보가 필요하다. 비즈니스에서는 시장 조사, 경쟁 분석, 재정 계획 등을 통해 기본적인 사업 이해를 얻어야 한다.

### 시뮬레이션과 계획 : 위험 최소화 전략

신중한 계획과 시뮬레이션은 위험을 최소화하는 데 중요하다. 등산에서는 경로 시뮬레이션을 통해 예상 경로의 난이도와 필요 시간을 평가할 수 있다. 기업 경영에서는 다양한 시장 시나리오를 계획하고, 각 시나리오에 따른 전략을 준비한다. 이러한 과정은 위험을 사전에 파악하고 대비할 수 있게 해 준다.

### 실행과 실제 경험 : 학습의 중요성

실제 경험은 이론적 지식을 넘어서는 귀중한 학습을 제공한다. 초심자가 실제로 공룡능선을 등산하거나 기업을 운영하기 시작하면, 이론적으로 배운 내용과는 다른 다양한 상황에 직면하게 된다. 이때 중요한 것은 직면한 문제에 대해 유연하게 대응하고, 실제 경험을 통해 배운 점을 다음에 적용하는 것이다. 실제 경험은 이론적 지식만으로는 얻을 수 없는 실질적인 통찰력을 제공한다.

### 중도에서의 의사결정 : 선택의 순간

어떤 상황에서도 예상치 못한 문제가 발생할 수 있다. 등산 중에 날씨가 악화되거나, 기업 운영 중에 급작스럽게 시장 상황이 변할 수 있다. 이러한 상황에서는 빠르고 유연한 의사결정이 필요하다.

중요한 것은 상황을 정확하게 판단하고, 가능한 최선의 결정을 내리며, 필요한 경우 계획을 조정하는 것이다.

### 전문가의 도움 : 컨설턴트와 등산 전문가 활용

전문가의 조언은 초보자가 시행착오를 줄이는 데 큰 도움이 된다. 등산 전문가는 안전하고 효율적인 등산 계획을 세우는 데 필요한 조언을 제공할 수 있다. 기업 경영에서도 컨설턴트는 시장 분석, 재무 계획, 경영 전략 등에 대한 전문적인 조언을 제공한다. 이러한 전문가의 도움은 초보자가 더 신속하고 효과적으로 학습하고 성장할 수 있도록 지원한다.

### 시행착오 최소화를 위한 전략

초보자가 등산이나 기업 경영에 성공적으로 접근하기 위해서는 충분한 준비와 계획이 필요하다. 이는 사전 정보 수집, 시뮬레이션, 실제 실행과 의사결정, 그리고 전문가의 조언을 통해 이루어질 수 있다. 중요한 것은 이러한 과정을 통해 얻은 지식과 경험을 바탕으로 지속적인 학습과 성장을 추구하는 것이다. 이러한 접근 방식은 초보자가 시행착오를 최소화하고, 빠르게 전문성을 개발하는 데 도움이 된다.

## 7. 경험의 함정 - 변화하는 환경에서의 경험의 장단점

등산이나 사업의 경험이 많이 쌓이게 되는 경우, 오히려 자기 경험에 몰입되어서 계절의 변화나 사업 환경의 변화 등에 적절하게 대응하지 못하고 실패를 하게 되는 경우도 많다. 이에 대한 내용에 대한 유형을 정리해 본다.

경험의 함정: 과신과 유연성 부족

장기간의 경험이 있을수록 자신의 능력과 판단에 대한 과신이 발생할 수 있다. 이는 새로운 정보나 변화에 대해 둔감하게 만들고, 결과적으로 잘못된 판단을 초래할 수 있다. 예를 들어, 오랫동안 등산을 해온 한 경험자는 자신의 경험에만 의존하여 기상 변화에 대한 경고를 무시하고, 이로 인해 폭풍 속에서 위험한 상황에 처하게 되기도 한다. 기업 경영에서도 유사한 사례가 발생할 수 있으며, 시장 변화나 새로운 기술에 대한 인식 부족으로 인해 기업이 위기에 처할 수 있다.

## 계절과 환경 변화 : 등산에서의 도전

계절 변화는 등산의 난이도와 위험성을 크게 바꿀 수 있다. 봄철 눈 녹는 시기나 가을철 태풍 시즌 등은 특별한 주의가 필요하다. 한 사례에서, 경험 많은 등산가가 계절 변화를 간과하여 눈사태 위험이 있는 지역에서 등산을 강행, 큰 위험에 처한 경우가 있다. 이는 자연 환경 변화에 대응하는 적응력의 부족을 보여준다.

## 사업 환경의 변화 : 기업 경영의 도전

사업 환경에서도 경험에 의존하는 것이 도전이 될 수 있다. 예를 들어, 한 오래된 기업이 디지털화와 온라인 마케팅의 중요성을 간과하고 전통적인 마케팅 방식에만 집중했을 때, 경쟁사들이 온라인 시장을 선점함으로써 큰 시장 점유율을 잃었다. 이 사례는 시장 변화와 새로운 트렌드에 적응하지 못하는 기업의 위험을 잘 보여준다.

## 유연성과 적응력 : 성공으로 가는 길

경험은 중요하지만, 그 것에만 의존해서는 안 된다. 유연성과 적응력을 가지고 새로운 정보와 환경 변화에 민감하게 반응하는 것이 중요하다. 예를 들어, 경험 많은 기업가가 새로운 기술 도입에 적극적으로 나서고, 변화하는 소비자 수요에 빠르게 대응하여 성공을 거둔 사례가 있다. 이는 변화에 적응하는 능력이 경험과 함께 얼마나 중요한 지를 보여준다.

경험의 함정을 피하기 위해서는 지속적인 학습과 개방적인 태도가 필요하다. 새로운 정보와 지식을 탐색하고, 변화하는 환경에 대해 끊임없이 관심을 가지는 것이 중요하다. 이를 통해 등산가나 기업가는 경험에만 의존하지 않고, 다양한 상황에 적절하게 대응할 수 있게 된다. 지속적인 학습과 개방적인 태도는 끊임없이 변화하는 세상에서 성공과 성장을 이어가는 데 필수적인 요소이다.

## 8. 팀워크와 리더십 - 등산 팀과 비즈니스 팀

기업은 자체적인 시스템에 의해 운영되지만 인적자원에 의해 실질적인 의사결정이 이루어지므로 팀워크와 리더십이 기업의 실적에 절대적인 영향을 미친다. 단체 등산의 경우 또한 등산 구성원과 리더간에 사전 정의되는 등산 계획 시스템 뿐만 아니라 실질적으로 안전을 동반한 등정과 하산을 위해서는 참여 구성원의 팀워크와 리더 간의 협력이 중요하다.

등산 팀이 설악산 공룡능선을 등산하는 과정에서, 각 팀원의 역할은 성공적인 등산을 위해 매우 중요하다. 팀원 각자가 가진 특별한 기술, 경험, 그리고 지식은 팀 전체의 성과에 기여한다. 예를 들어, 경로를 안내하는 사람, 안전을 책임지는 사람, 응급 처치에 능숙한 사람 등 각자의 역할이 명확하게 정의되고, 이들이 협력할 때 팀은 더욱 강해진다.

비즈니스 팀도 유사한 방식으로 작동한다. 각 팀원은 고유한 전문성과 기술을 가지고 있으며, 이들이 효과적으로 협력하면 기업의 전반적인 성과가 향상된다. 팀 내에서 각자의 역할을 명확히 이해하고, 서로의 강점을 활용하는 것이 중요하다.

등산 팀과 비즈니스 팀 모두에서, 리더는 방향을 설정하고, 팀원들에게 동기를 부여하며, 어려운 상황에서 결정을 내리는 핵심 역할을 한다. 효과적인 리더는 팀원들의 잠재력을 최대한 발휘하도록 격려하고, 목표 달성을 위해 필요한 자원과 지원을 제공해야 한다.

## 9. 정상에 도달하기 – 성공의 순간과 그 의미

우리는 등산을 할 때 정복이라는 표현을 자주 사용한다. 필자도 초기에는 설악산을 정복하기 위해 즐겨 등산을 하였다. 그러나 어느 순간 정복이라는 표현 보다는 다녀 간다라는 것이 보다 적절하다는 생각을 하게 되었다. 정복의 어감은 무엇인가를 부수거나 과거로 되돌아갈 수 없는 다른 형태나 상황으로 변경시켰다는 의미가 있는데, 내가 정복했다고 생각한 설악산의 공룡능선은 내가 다녀가기 전과 이후에 아무런 변화가 없음을 깨닫게 되면서 산은 정복이 아니라 내가 단순히 다녀가는 곳임을 깨닫게 되었다.

그래도 공룡능선의 정가운데에 위치한 1275봉의 꼭대기에 오르기 위해서는 중난도의 릿지를 해야 하고 잠깐의 두려움을 지나면 대한민국 어디에서도 볼 수 없는 광활하게 사방으로 퍼진 넓은 공간에 펼쳐진 풍광은 그 동안의 육체적 고통과 릿지의 심장 쫄깃한 느낌의 부담감의 몇 배를 상쇄하는 짜릿함의 성취감으로 보상받을 수 있다.

이는 단지 등산가에게 단순히 높은 지점에 도달하는 것을 넘어서는 의미를 가진다. 이는 장시간에 걸친 준비, 노력, 그리고 극복의 과정 끝에 이루어진 성취이다. 이러한 순간은 깊은 자기 만족감과 성취감을 제공하며, 자신의 한계를 넘어서는 경험을 가능하게 한다.

비즈니스 성공의 순간도 이와 유사하다. 기업가에게 성공은 단순히 경제적 이득을 넘어선 개인적 성장, 목표에 대한 성취감 그리고 자기 실현의 과정이다. 비즈니스 목표를 달성하는 것은 물론, 사업을 통해 자신의 역량을 실현하고, 창조적인 비전을 구현하는 것이 포함된다. 이와 더불어 성공을 통한 자기 발견의 과정에 주목할 수 있다.

공룡능선의 정상에 서거나 비즈니스에서 중요한 목표를 달성할 때, 개인은 자신의 내면을 더 깊이 이해하게 되고 이러한 경험은 자신의 강점과 약점을 더 명확히 인식하고, 미래의 목표를 설정하는 데 도움이 된다.

# 10. 지속 가능성 – 하산 및 복귀와 비즈니스의 지속 운영

    설악산 공룡능선 등산 후의 철수 계획과 비즈니스의 지속 가능한 운영 사이의 연관성 및 이를 통해서 장기적인 성공과 성장을 위한 전략을 생각해 볼 수 있다.

    등산의 끝은 정상 정복이 아니고 안전한 하산과 복귀 후의 안정적인 재활과정에 있다고 생각한다. 이를 위해 등산가들은 체력 관리, 날씨 변화에 대한 주의, 적절한 경로 선택 등을 고려하여 안전하게 하산하는 계획을 세우고 달성하는 것, 등산을 한 이들과의 자축파티 및 재활 과정을 통한 정상적인 일과로의 복귀가 이루어져야 그 다음 번의 등산이 가능하고 이 과정은 비즈니스에서 장기적인 성공과 지속 가능한 운영을 위한 전략과 유사하다.

비즈니스의 성공 역시 한 순간의 성취에 그치지 않고, 지속 가능한 성장과 발전을 추구해야 한다. 이를 위해서는 시장 변화에 대한 지속적인 모니터링, 재무 건전성 유지, 직원 복지와 성장 지원, 직원들과의 팀빌딩 및 자원의 복구 등 다양한 요소를 고려해야 지속가능한 경영이 가능해진다.

또한, 성공 후에도 지속적으로 목표를 설정하고, 새로운 도전을 추구하는 것도 중요한 요소이며, 등산 후의 복귀 계획과 마찬가지로 비즈니스에서도 한 번의 성공 이후에 새로운 목표를 설정하고, 지속적인 개선을 위한 노력이 필요하고 이는 개인적 성공과 비즈니스의 장기적 성공 모두에 필수적이다.

# 11. 교훈과 반성 – 등산 경험에서 배우는 교훈

바둑에는 복기(復碁)라는 절차가 있는데 바둑 대국이 종료되고 승패가 확정된 이후에 이미 두고 난 바둑의 판국을 대국자 간에 서로 평하고 개선 방안을 협의하기 위해 다시 처음부터 놓아 보는 과정이다. 필자가 근무했던 외국계 기업인 모토로라에는 M-Gate라는 제품 개발 및 양산 관련 모든 Life cycle을 관리하는 절차가 있었는데, 인상 깊었던 절차로 Postmortem이 있었다. 우리 말로는 사후 부검, 검시(해부)로 변역이 되는데 프로젝트가 완료되면 반드시 진행해야 하는 절차로 그 취지는 프로젝트의 모든 절차의 수행과정에서 얻은 실질 경험들(Lessons Learned, 배웠던 교훈들)을 내부 팀 및 외부 팀들이 모두 모여서 해부하듯이 교훈들을 샅샅이 파헤쳐 반성하고 추후에 재발하거나 반복되지 않도록 철저히 반성하는 절차이다.

복기나 Postmortem과 같이 설악산 공룡능선 등산이나 기업 경영에 있어서도 교훈을 통해 지나온 결과를 반성하고 문제점에 대해서는 미래의 재발방지방안을 찾는 과정을 반복함을 통해 우리는 위험을 최소화하고 효율적인 성장이 가능하게 된다.

등산 경험은 단순한 신체적 활동을 넘어서 많은 교훈을 제공한다. 설악산 공룡능선 같은 험난한 등산로를 통과하는 과정에서 등산가들은 인내심, 결단력, 그리고 위기 대처 능력과 같은 중요한 가치를 배울 수 있고 이는 귀중한 학습 기회가 된다. 이러한 가치는 기업 경영에도 직접적으로 적용될 수 있다. 예를 들어, 기업가는 비즈니스를 운영하면서 발생하는 다양한 도전과 어려움에 대처하기 위해 인내심과 결단력이 필요하다.

이러한 경험은 다른 관점에서 보면 개인이 자신의 한계를 인식하고, 다음 번 도전을 위해 필요한 개선점을 찾는 데 도움이 된다. 마찬가지로, 기업 경영에서의 실패도 중요한 학습의 기회가 될 수 있으며, 이를 통해 더 나은 전략을 개발하고 사업을 성공으로 이끌 수 있다.

## 12. 노화의 문제 - 노화에 대한 대처

사람은 노화가 진행되면 등산 경험이 많더라도 나이가 들어감에 따라 체력이 저하되고 동일한 공룡능선 등산이라고 하더라도 세월이 지나감에 따라 차츰 등산이 어려워질 것이다. 기업의 경영자도 나이가 들어감에 따라 사업 경험은 쌓이겠지만 노화로 인한 기업 경영 능력은 저하되게 된다. 이에 대한 여파와 대비책을 검토해 본다.

노화와 등산 능력의 저하

나이가 들면서 체력과 지구력은 자연스럽게 감소한다. 이는 등산과 같은 신체 활동에 직접적인 영향을 미친다. 누구나 예측 가능하듯이, 아무리 훌륭하고 경험 많은 등산가라도 나이가 들어감에 따라 공룡능선과 같은 험난한 코스를 이전처럼 빠르고 효율적으로 자주 완등하는 것은 차츰 어려워진다. 이러한 노화에 따른 체력 저하에 대비하여 충분한 등산 시간을 확보하거나 회수를 적절히 조절하거나 등산 코스를 쉬운 경로로 변경하는 등의 등산 방식과 전략을 재조정할 필요가 있다.

## 노화와 기업 경영 능력

기업 경영에서도 경영자가 물리적인 나이나 정신적인 피로도에 따라 노화되게 되면 빠르고 정확한 의사결정 능력, 새로운 기술이나 트렌드에 대한 적응력이 저하될 수 있다. 노화로 인해 체력의 저하뿐만 아니라 두뇌 능력도 저하되고 젊은 소비자의 등장에 따른 소비 패턴의 변화와 신규 생성되는 시장에 대한 이해도도 떨어지게 되고 관련 기술의 기술 변화에 빠르게 적응하지 못해 경영자 뿐만 아니라 회사의 경쟁력을 잃게 되는 것은 자연스러운 현상일 것이다. 이를 보완하기 위해 경영자는 노화에 따른 경영 스타일의 변화와 새로운 전략의 필요성을 보여준다.

## 적응과 대처 전략 : 등산에서의 접근

체력 저하에도 불구하고, 나이든 등산가들은 여전히 성공적인 등산을 할 수 있다. 이를 위해, 그들은 등산 속도를 조절하고, 더 많은 휴식 시간을 가지며, 보다 적은 난이도의 경로를 선택하는 등의 전략을 사용한다. 예를 들어 체력 저하를 인정하고 자신의 한계 내에서 성공적인 완등이 가능하도록 총 등산 시간을 여유있게 확보하거나 쉬운 코스를 이용하거나 등산에 유리한 계절을 선택하거나 젊고 유능한 보조 등산가와 동행하는 방법 등의 구체적인 계획을 세우고 실행하면 성공적인 공룡능선 완등이 가능할 것이다. 이처럼 노화에 따른 체력 저하에도 불구하고 적절한 적응과 계획을 통해 여전히 등산을 즐기는 것은 가능하다.

### 노화에 대응하는 기업 경영 전략

나이든 기업가도 변화하는 경영 환경에 적응하여 충분히 지속적인 성공을 지속할 수 있다. 이를 위해 기업가는 현대 기술에 대한 이해를 높이고, 젊은 세대의 관점을 수용하며, 경영 팀에 신선한 아이디어를 제공할 수 있는 젊은 인재를 영입하는 전략을 사용할 수 있다. 예컨대, 최근 트렌드에 뒤떨어져 있다고 생각하는 기업가는 이를 인지하고 변화를 해야 하며 자신의 경영 스타일을 현대화하고, 유튜브나 생성형 AI 솔루션을 도입하고 디지털 마케팅과 소셜 미디어 전략에 더 많은 투자를 하여 기업의 경쟁력을 유지시키는 것이 가능할 것이다.

### 노화와 지속 가능한 성장

노화는 피할 수 없는 과정이지만, 이에 대한 적절한 대응과 수용을 통해 여전히 성장하고 성공할 수 있다. 나이든 등산가와 기업가 모두 자신의 상황을 인정하고, 새로운 환경에 적응하는 능력을 발휘함으로써 지속 가능한 성공을 이룰 수 있다. 이는 노화와 함께하는 성장에 대한 긍정적인 접근 방식을 강조하며, 노년에도 적극적인 참여와 학습을 통해 새로운 기회를 포착할 수 있음을 보여준다.

# 13. 끝없는 여정 – 지속적인 학습과 성장

　나는 공룡능선을 25차례 다녀온 경험이 있지만 매번 산행에서 항시 새로운 기대감과 낯섦이 함께 했던 것 같다. 방대한 규모와 오랜 시간이 소요되는 등산이기도 하겠지만 경험이 쌓이면서 숙성이 되고 여유를 갖게 되면서 이전에는 보이지 않던 새로운 것들이 눈과 귀와 머리속에 들어오게 된다. 작은 것이라면 계절마다 다른 야생화, 등산로나 쉼터 곳곳마다 만나게 되는 예쁜 다람쥐, 등산화에 채이는 돌맹이, 계절에 따라 다른 다양한 활엽수의 변화색 등이 있고, 큰 것으로는 각 시간대의 다른 햇볕의 각도의 변화, 다양한 온도에 따른 피부로 느끼는 따스함과 선선함 및 매서운 추위, 보는 각도와 나의 감정에 따라 달라지는 많은 능선의 유려함의 변화 등이 있다.

　공룡능선 등산이나 기업가정신이나 모두 일회성의 이벤트가 아니므로 계속해서 이어지는 삶의 끝없는 여정의 일부이다. 축적되는 경험 속에 새로운 효율을 찾을 수 있게 되며 반복적인 실패를 끊고 지속적인 성찰과 끊임없는 학습을 통해 성장을 하게 되는데, 성장에 필수적인 요소로 이러한 변화에 적응하고 혁신을 이끌기 위해서는 지속적인 학습과 개인적 성장이 필수적이다. 기업가는 새로운 시장 동향, 기술 발전, 경영 전략 등을 지속적으로 학습하고, 이를 자신의 사업에 적용함으로써 경쟁력을 유지하고 성공을 이어갈 수 있다.

등산에서도 비슷한 원칙이 적용된다. 설악산 공룡능선 등산과 같은 도전은 등산가에게 끊임없이 새로운 기술을 배우고, 체력을 강화하며, 자연 환경에 대한 이해를 높이는 기회를 제공한다. 이러한 지속적인 학습과 개선은 등산가가 더 높고 험난한 산을 정복하는 데 도움이 된다.

성공적인 기업가와 등산가란 모두 기존에 만족하지 않고 내부 및 외부 환경의 변화에 항시 민감하게 학습하고, 항상 새로운 목표를 설정하며, 이를 달성하기 위해 끊임없이 노력해야 하며 이러한 지속적인 도전은 개인을 성장시키고 새로운 성취를 가능하게 한다.

# 4장

기업가정신과 공룡능선 등산,
위기의 극복

기업가정신으로 창업한 기업 뿐만 아니라 모든 기업은 제품의 Product Life Cycle과 같이 성장하는 과정에서 항시 위험에 노출되어 있고 그 극복의 과정에서 경영자는 기업경영의 경험과 연륜이 쌓여 한단계 성숙한 기업으로 성장하게 된다. 등산 과정에서도 나름 철저한 준비를 거치더라도 예상했거나 예상하지 못했던 위험이 상존하며 그 위험의 극복 과정에서 보다 안정되고 여유가 있는 등산을 함으로써 등산로 주위 풍경의 변화를 보다 풍성하게 받아들이고 들풀, 들꽃, 풀벌레와 교감하며 사색하고 평온한 등산이 가능해 지고 순간적인 위험에 대처하고 보다 험준한 산세의 등산로도 극복할 수 있게 된다.

# 1. 위기 관리 – 난관과 장애물 극복

설악산 공룡능선의 도전적인 구간과 비즈니스 환경에서 마주치는 위기 상황을 맞이하면서 필요한 문제 해결 능력과 위기 대응 전략을 구축할 수 있게 된다.

공룡능선 등산 중에는 예상치 못한 어려움과 위험이 존재한다. 예를 들어, 갑작스런 기상 변화, 험한 지형, 신체적 한계 등 다양한 장애물이 등산가의 길을 막을 수 있다. 이러한 상황에서 등산가는 침착함을 유지하고 신속하게 문제를 해결하는 능력이 필요하다. 비즈니스 환경에서도 기업가는 예기치 못한 시장 변동, 경쟁사의 새로운 전략, 재정적 어려움 등의 위기에 직면할 수 있다. 이러한 위기 상황에 대응하기 위한 전략적 사고와 유연성의 중요성을 강조한다.

공룡능선 등산과 비즈니스 운영에서 모두 계획에 따라 움직이는 것이 중요하지만, 더 중요한 것은 예기치 않은 상황에 유연하게 대처하는 능력이다. 이 장에서는 등산과 기업 운영에서 발생할 수 있는 다양한 위기 상황을 분석하고, 이러한 상황에 효과적으로 대처하기 위한 전략을 제시한다. 또한, 위기 상황에서 필요한 리더십, 팀워크, 의사소통의 중요성에 대해서도 논의한다.

위기 관리에 있어서 중요한 것은 문제를 인식하고, 가능한 해결책을 신속하게 평가하며, 적절한 조치를 취하는 것이다. 이 장에서는 등산가와 기업가가 어떻게 각각의 상황에서 위기를 극복했는지를 살펴보려고 한다. 이를 통해 독자들은 우리가 위기 상황에 직면했을 때 효과적으로 대응하고 난관을 극복하는 과정에서 필요한 결단력, 창의성, 그리고 회복력의 중요성을 이해할 수 있을 것이다.

## 2. 위험에 대처하기 - 위험을 관리하는 방법

등산 중에 사고가 나서 동료의 도움을 받거나 심할 경우 헬리콥터의 지원을 받아야 할 때가 있다. 기업도 어려움에 처하면 외부의 도움을 받아야 할 어려움에 처할 때가 있는데, 이러한 상황이 오게 되는 이유와 이를 극복하거나 남의 도움을 받아야 하는 경우의 대처 방안에 대해 생각해 본다.

위기의 발생 : 등산과 기업 경영에서의 공통점

등산 중 사고는 부적절한 준비, 예상치 못한 날씨 변화, 경로의 난이도 과소평가 등 다양한 원인으로 발생할 수 있다. 기업에서도 유사하게 시장 변화, 경쟁사의 새로운 전략, 내부 관리의 실패 등으로 위기가 발생할 수 있다. 이러한 위기 상황은 개인이나 조직이 예상치 못한 문제에 직면했을 때 필요한 적응력과 대처 능력을 시험한다.

### 외부 도움의 필요성 : 인식과 수용

위기 상황에서는 때때로 외부의 도움이 필수적이다. 등산에서는 심각한 부상이나 위험한 상황에 처했을 때에는 신속하고 과감하게 구조대나 헬리콥터 구조를 요청해야 할 필요가 있다. 기업에서도 이와 유사하게 직원의 급격한 퇴직의 증가 등 내부 환경의 변화, 금융 위기 외부환경의 급격한 변화 등에 직면하게 된 경영상의 어려움 등을 해결하기 위해 외부의 전문가나 컨설턴트의 도움을 받을 수 있다. 이는 문제의 규모가 개인이나 조직의 현재 능력을 초과하는 경우, 적절한 지식과 경험을 갖춘 전문가의 지원이 필수적임을 의미한다.

### 위기 관리 : 전략과 실행

등산 중 위기 상황에 대처하기 위해서는 즉각적인 의사결정과 신속한 행동이 요구된다. 이를 위해 등산가들은 비상 상황에 대비한 훈련을 받고, 적절한 구조 장비를 준비해야 한다. 기업에서도 위기 관리는 전략적 계획과 실행 능력을 필요로 한다. 이는 위기 상황에서의 신속한 의사결정, 효과적인 커뮤니케이션, 그리고 필요한 자원의 확보와 활용에 중점을 둔다.

### 회복과 재발 방지 : 학습과 성장

사고나 위기 후에는 발생 원인을 분석하고, 유사한 상황을 예방하기 위한 조치를 취해야 한다. 등산에서는 사고 후 안전 교육을 강화하고 보다 안전한 장비를 사용하는 등의 조치가 필요하다. 기업에서도 위기 후에는 내부 관리 시스템을 재검토하여 원천적인 프로세스의 변화 등이 필요하고 위기 대응 메커니즘을 강화하며, 더욱 견고한 경영 전략을 수립해야 한다.

'데스 밸리(Death Valley)'의 극복과 등산에서 체력적, 정신적 도전의 극복

창업 초기 단계에서 기업가들은 종종 '데스 밸리'라고 불리는 중대한 재정적 위기를 마주하게 된다. 이 시기는 현금 흐름이 부족하고, 사업 모델이 시장에 제대로 자리 잡지 못한 상태를 말한다. 이 시기를 극복하는 기업은 사업 모델을 안정화시키고 지속 가능한 성장으로 나아갈 수 있으나, 이를 극복하지 못하면 폐업으로 이어질 수 있다. 예를 들어, 많은 스타트업들이 초기 자본 조달에 어려움을 겪지만, 성공적으로 내부 및 외부투자를 유치하고 본격적인 매출을 생성시켜 내부 자금 원천을 확보하는 사업 모델을 입증하는 회사는 시장에서 생존하고 번창해 나간다.

등산을 할 때, 특히 고난도 루트에서는 체력적, 정신적으로 가장 힘든 구간을 마주하게 되는데, 이는 등산가에게 극한의 도전을 제시하기도 한다. 이러한 도전을 극복한 등산가는 새로운 체력적, 정신적 수준에 도달하게 되며, 이는 더 높은 산을 오르는 데 필요한 자신감과 능력을 부여한다. 예를 들어, 히말라야의 고봉을 등반하기 위해 산악인들은 이와 유사한 극한의 환경에서 경험을 통해 스스로를 단련하고 자신의 한계를 극복하는 과정을 수련하면서 더 높은 최고봉의 목표를 향해 나아갈 수 있게 되는 것이다.

기업가정신과 등산 모두 초기 도전과 어려움을 극복하는 과정이

필수적이며, 이를 통해 개인 또는 조직은 새로운 성장과 발전의 기회를 얻게 되며, 이는 두 분야 모두에서의 성공이 단순한 기술이나 지식을 넘어서 인내와 끈기, 그리고 지속적인 성장을 필요로 한다는 것을 보여준다.

# 3. 심각한 위험의 순간에 대한 대처 - 목숨을 걸을 것 인가?

공룡능선의 릿지 구간을 가는 것과 사업 집중에 무리하여 위험에 빠지고 목숨을 걸어야 할 위기가 있을 수 있는데, 이러한 상황을 예를 들어 비교해 본다.

## 릿지 구간의 도전 : 등산에서의 위험

공룡능선 릿지 구간은 등산가들에게 큰 도전을 제공한다. 이 구간은 좁고 가파르며, 한쪽으로는 깊은 절벽이 있어 실수하면 큰 위험에 처할 수 있다. 공룡능선과 같은 험준한 암벽이 있는 산에서 릿지 구간만을 고집하는 경우 낙석으로 인한 위험과 갑작스럽게 비가 오는 등 날씨 변화로 인한 위험에 처하게 되는 상황이 발생하여 스스로 해결할 수 없고 외부에 긴급 구조를 요청하여 이를 해결해야 하는 상황이 될 수도 있다. 사전에 몸만들기 및 장비를 충분히 준비하지 못했다면 과감하게 암벽 앞에서 릿지 시작을 포기할 줄도 알아야 하며, 릿지 중에 큰 위험이 닥치는 경우에는 무모하게 자력으로 해결하려고 하다가 큰 위험과 낭패를 겪을 수 있으므로 외부의 도움을 적극 받아야 한다.

## 사업 집중의 리스크 : 기업 경영에서의 위험

사업에 지나치게 집중하는 것도 큰 위험을 내포한다. 특히, 한 분야나 제품에만 과도하게 집중하면 시장 변화나 기술 발전에 둔감해져 위기에 빠질 수 있다. 필자가 재직했던 모토로라는 2000년 초반에는 세계 2위의 굴지의 핸드폰 기업이었지만 기존 피처폰에서 스마트폰으로의 시장 변화에 적극 대응하지 못하고 기존 피처폰 시장의 경험에 과도하게 의존하다가 결국 구글에 팔리고 최종적으로는 중국기업에 매각 되어 이제는 스마트폰 브랜드 평가에는 보이지 않을 정도의 극소의 시장점유율을 지닌 작은 브랜드에 불과하게 되었다. 모토로라 핸드폰의 사례에서 우리는 사업에서 시장에 대한 빠른 대응, 다양성과 유연성이 얼마나 중요한지를 알 수 있다.

## 위험 관리와 대비

등산에서는 릿지 구간과 같은 위험한 경로를 안전하게 통과하기 위해 철저한 준비와 적절한 장비가 필요하다. 마찬가지로, 기업 경영에서도 다양한 위험 요소를 사전에 식별하고, 이에 대비한 계획을 세우는 것이 중요하다. 이는 불확실한 사업 환경에서 기업의 지속 가능한 성장을 위한 기본 전제이다.

## 위기 대응과 탈출 전략

위험한 등산 구간에서는 긴급 상황에 대응할 수 있는 계획이 필요하다. 등산가들은 위험 상황을 식별하고, 즉각적으로 안전한 경로로 이동하는 능력을 갖춰야 한다. 기업 경영에서도 위기 상황에서 신속하게 대응하고, 필요한 경우 사업 전략을 변경하는 유연성이 요구된다. 이는 위기 상황에서 기업의 손실을 최소화하고, 빠르게 회복할 수 있는 경로를 찾는 데 필수적이다.


## 위험과 위기의 교훈

등산과 기업 경영에서의 위험과 위기는 귀중한 교훈을 제공한다. 이러한 경험을 통해 개인과 조직은 더 강하고 유연하게 성장할 수 있다. 등산에서 위험한 구간을 안전하게 통과하는 방법을 배우듯이, 기업 경영에서도 위기를 효과적으로 관리하고 극복하는 능력을 개발하는 것이 중요하다. 이러한 접근은 지속 가능한 성공을 위한 안전하고 현명한 방법을 제시한다. 위기 상황에서의 학습과 성장은 개인과 조직 모두에게 중요한 자산이 된다.

# 5장

기업가정신, 선천적인가 후천적인가?

기업가정신이 선천적으로 타고나는지 아니면 후천적으로 개발되는 지에 대한 것을 주제로 연구한 논문을 통해 분석해 보았다.

기업가들은 유전적으로 모험심, 창의성, 경쟁력 등의 특성을 가지고 있으며, 이러한 특성이 기업가로서의 성공을 가져온다는 주장과 함께 이와 반대로 기업가들은 교육, 경험, 문화 등의 환경적 요인에 의해 기업가로서의 역량을 발전시키며, 이러한 환경적 요인이 기업가로서의 성공을 결정한다는 주장에 대한 연구가 있다.

# 1. 연구 논문 비교

첫번째로 Gabriel Tortella, Gloria Quiroga, and Ignacio Moral-Arce 가 2011년도에 발표한 논문인 NATURE OR NURTURE? FACTORS OF ENTREPRENEURSHIP: A COMPARATIVE APPROACH에 따르면, 기업가 정신이 선천적인 재능에서 비롯되는지, 아니면 교육을 통해 후천적으로 발달하는지를 탐구한다. 영국과 스페인의 기업가들을 비교 분석하며, 교육이 기업가의 성공에 미치는 영향을 조사했다. 이 연구는 대규모 데이터베이스, 서술적 분석, 그리고 계량 경제학적 테스트를 사용하여 이러한 요인들을 평가했다. 연구 결과, 교육의 질과 양이 기업가의 성공에 상당한 영향을 미친다는 것을 발견했으며, 이는 기업가 기술이 대부분 교육과 경험을 통해 발달한다는 것을 시사한다.

이 논문에서는 수집되고 처리된 데이터가 교육이 기업가 활동에 유익한 영향을 미치고 대학 교육(공립학교 추가)이 기업가의 다재

다능한 역량과 전반적인 기업가정을 향상시킨다는 우리의 다소 단순하고 상식적인 가설을 확인시켜 주는 것 같다는 점은 고무적이라고 표현하였으며, 결론적으로 선천적인 역량은 개선되어지고 교육을 통한 후천적인 육성이 기업가정신에 중요한 원천임을 통계적으로 입증하였다.

두번째로 Ernst & Young에서 발표한 연구자료인 Nature or nurture? Decoding the DNA of the entrepreneur에서도 유전적 요인과 환경적 요인에 대해 설문 방법을 사용하여 분석하였다. 전 세계 기업가 리더 685명을 대상으로 한 설문조사를 바탕으로 Ernst & Young이 작성한 "자연인가 양육? 기업가의 DNA 해독" 보고서는 기업가적 성공의 본질을 탐구한다.

성공적인 기업가가 타고난 특성을 가지고 태어났는지, 아니면 그들의 능력이 외부 요인에 의해 형성되는지 조사하였는데, 이 연구는 특정 고유한 자질이 기여할 수 있지만 기업가의 성공은 교육 및 기업 노출을 포함한 경험에 의해 크게 영향을 받는다는 것을 발견했다.

이 포괄적인 분석은 기업가적 기술이 타고난 특성과 학습된 경험을 혼합하면서 시간이 지남에 따라 개발되고 연마된다는 것을 시사한다.

이 두가지 대표적인 연구의 결과는 기업가정신은 후천적으로 길러진다는 것이라고 분석하고 있다.

## 2.. 연구 논문 비교

우리가 일반적으로 알고 있는 산악인의 사례에서 선천적인 요인 과 후천적인 요인을 살펴 보자

[ 에드먼드 힐러리 (Edmund Hillary) ]

**선천적 vs. 후천적** : 힐러리는 자연스러운 체력과 큰 키를 가진 것 외에 특별한 선천적 재능을 가지고 태어나지 않았다. 그의 등산 능력은 어린 시절부터의 등산 경험과 체계적인 훈련을 통해 후천적으로 개발되었다.

**등산 경험 개발 과정** : 힐러리는 뉴질랜드의 산악 지역에서 자란 덕분에 어린 시절부터 등산을 시작했다. 그는 체력을 증진시키고 기술을 향상시키기 위해 꾸준한 노력을 기울였으며, 이러한 노력은 그가 에베레스트 산 정상에 오르는 데 결정적인 역할을 했다.

[ 레인홀트 메스너 (Reinhold Messner) ]

**선천적 vs. 후천적** : 1986년 42세의 나이로 히말라야 8,000미터 고봉 14좌를 완등하고 특히 최고봉인 에베레스트산을 홀로 무산소 등정한 최초의 사람이기도 한 메스너는 자신의 등산 능력을 선천적 재능보다는 지속적인 경험과 학습을 통해 개발하였으며, 그의 업적은 그의 끊임없는 탐험 정신과 꾸준한 노력의 결과로 해석되고 있다.

**등산 경험 개발 과정** : 메스너는 어린 시절부터 산악 환경에서 자랐고, 젊은 나이에 다양한 산들을 등산해 왔으며, 26세인 1970년 낭가파르바트산을 시작으로 1986년 로체산에 오르면서 8000미터 이상 고봉을 모두 등정하였고 그 경험을 20권의 저술로 녹여냄으로써 그의 끊임없는 도전과 실험적인 접근은 산악 등산의 기술과 지식을 향상시키는 데 크게 기여했다.


우리나라 유명 산악인은 어떠할까?

[ 엄홍길 ]

**선천적 vs. 후천적** : 2019년 대한체육회 스포츠영웅 명예의 전당에 헌액된 엄홍길 대장은 167cm의 단신으로 특별한 선천적 재능을 가진 것보다는 후천적인 노력과 경험을 통해 등산 능력을 키워 나갔다.

**등산 경험 개발 과정** : 그는 중학교시절부터 도봉산 두꺼비바위에서 암벽타기를 좋아했던 것으로 알려져 있으며 젊은 시절부터 등산에 깊은 관심을 보였고, 다양한 산을 오르며 경험을 쌓았다. 히말라야 원정을 통해 그는 극한의 환경에서 살아남는 법을 배웠으며, 이러한 경험은 그가 세계적인 산악인으로 성장하는 데 결정적인 역할을 했다.

[ 박영석 ]

**선천적 vs. 후천적** : 한국에서 최초이며 세계에서 8번째로 히말라야 8,000미터 이상의 봉우리 14좌를 완등(세계 최단기간 내)한 산악인 박영석 대장 역시 특별한 선천적 재능보다는 지속적인 도전과 학습을 통해 산악 기술을 키웠다.

**등산 경험 개발 과정** : 박영석 대장은 17세였던 1980년 동국대 마나슬루 원정대가 등정에 성공하는 장면을 보고 산악인이 되기로 마음을 굳혔다고 하며 동국대 체육교육과에 진학, 산악부에 들어가서 체계적인 훈련과 국내외 다양한 산을 등산하며 경험을 쌓았다. 특히 그의 히말라야 원정은 그에게 필요한 기술, 체력, 정신력을 길러주었고, 이는 그가 세계적인 산악인으로 성장하는 데 기여했다.

유명 기업가의 경우 기업가정신이 선천적으로 타고 났는 지 후천적으로 개발되었는 지 사례를 들어보자.

[ 스티브 잡스 ]

스티브 잡스는 창의성과 혁신적인 사고로 유명하지만, 그의 뛰어난 기업 경영 및 제품 개발 능력은 여러 경험과 학습을 통해 후천적으로 발전했다고 보는 것이 일반적인 견해이다.

다양한 경험의 영향 : 대학 중퇴 후, 잡스는 생활 곳곳에서 다양한 경험을 쌓았다. 그는 스탠포드 대학에서 서체 디자인 강의를 들었고, 이는 나중에 매킨토시 컴퓨터의 독특한 서체 디자인에 영향을 미쳤다. 인도 여행을 통해 그는 미니멀리즘과 직관적 사고에 눈을 떴고, 이는 애플 제품 디자인의 핵심 철학이 되었다.

연속적인 실패와 학습 : 애플을 창립한 후 초기의 몇몇 프로젝트는 실패했다. 이러한 실패에서 잡스는 중요한 교훈을 얻었고, 이를 바탕으로 더 나은 제품과 전략을 개발했다. 또한, 애플에서 일시적으로 해고된 경험은 그에게 경영과 리더십에 대한 중요한 교훈을 주었으며, 이후의 픽사와 넥스트에서의 성공으로 이어졌다. 그러한 다양한 실패의 경험을 통해 잡스는 터치 방식의 스마트폰이라는 혁명적인 기기를 개발하여 엄청난 경제적인 이득 뿐만 아니라 인류 IT기술의 한단계 변혁에 큰 기여를 하였다.

[ 워렌 버핏 ]

워렌 버핏의 투자 철학과 경영 기술은 그의 지속적인 학습과 실제 투자 경험을 통해 발전되었다.

지속적인 학습 : 버핏은 어린 시절부터 투자와 경제에 대한 깊은

관심을 보였다. 그는 콜럼비아 비즈니스 스쿨에서 벤저민 그레이엄에게서 가치 투자에 대해 배웠고, 이는 그의 투자 철학의 기초가 되었다. 그는 지속적으로 금융 시장과 기업 분석에 대해 연구하고 공부하며, 투자 전략을 개발하고 수정해 나갔다.

실전 투자 경험 : 버핏은 여러 기업에 투자하며 실질적인 경험을 쌓았다. 그는 성공과 실패를 통해 시장의 변동성을 이해하고, 장기적인 가치 투자 전략의 중요성을 깨달았다. 버크셔 해서웨이를 통해 다양한 산업에 걸친 투자와 기업 인수를 진행하면서, 그는 투자 및 경영에서의 광범위한 지식과 경험을 쌓았다.

[ 정주영 (현대그룹 창립자) ]

**선천적 vs. 후천적** : 정주영 창업주는 뛰어난 기업가 정신을 선천적으로 가지고 태어난 것으로 보는 시각도 많지만 구체적인 다양한 작은 사업들의 실패를 통해 누적된 경험을 통해 기업가 정신이 담금질되었다.

**기업가정신 개발 과정** : 그는 농촌에서의 가난에서 벗어나기 위해 네번이나 가출을 하면서 부두하역, 막노동, 쌀가게 배달원 등 초기에 여러 사업을 시도하며 초기에 설립한 자동차 수리점인 아도서비스가 화재로 소실되는 등 다양한 실패와 성공을 경험했다. 이러한 다양한 경험은 그가 현대그룹을 성공적으로 이끌 기업 경영 능력을 키우는 데 도움을 주었다.

[ 이건희 (삼성그룹 전 회장) ]

**선천적 vs. 후천적** : 이건희 회장은 삼성그룹의 후계자로서 선대 회장인 이병철 회장이 닦아 온 기반위에서 기업 경영에 필요한 여러 능력을 스스로 혹은 학습 및 경험을 통해 후천적으로 개발되었다고 볼 수 있다.

**기업가정신 개발 과정** : 그는 삼성그룹을 이끌면서 혁신적인 경영 전략과 글로벌 시장에 대한 이해를 바탕으로 회사를 세계적인 기업으로 성장시켰다. 그의 경영 철학은 지속적인 변화와 혁신을 통해 기업을 발전시키는 데 중점을 뒀다.


이들의 사례는 기업의 성공은 기본적으로 선천적 재능과 능력이 중요할 수 있으나, 지속적인 학습, 다양한 경험, 실패로부터의 교훈, 적극적인 노력 등 후천적 요소가 그들의 성공에 결정적인 역할을 했음을 보여준다.

# 6장

기업가정신,
혼자서 독야청청 혹은 독불장군인가?

    기업가정신과 등산 모두에서 외부 지원을 받음으로써, 도전을 더 쉽게 관리하고 보람 있게 만들 수 있다. 학습에 열린 마음을 가지고, 조언을 구하며, 지원 네트워크를 구축함으로써 기업가와 등산가는 그들의 한계를 넘어서 성공을 달성할 수 있으며 이러한 접근은 위험을 줄이고, 다양한 통찰력과 공유된 성공으로 여정을 풍부하게 만든다.

# 1. 기업가정신에 있어서 외부 도움의 활용

스타트업이 성공적인 기업으로 성장하는 여정은 거의 혼자서 이루어지는 것이 아니다. 최초 사업성 검토, 경영 학습, 창업 자금의 확보 단계부터 비즈니스 운영, 시장 역학 탐색, 혁신 촉진과 같은 복잡성은 협력적 도움이 필요하다.

조직 개발 관점에서 보면, 마케팅, 재무, 연구개발 등 다양한 기능에 대한 내부 팀 강화 및 적절한 권한의 위임은 포괄적인 성장을 위해 필수적이며, 새로운 아이디어와 다양한 관점을 제공할 수 있는 숙련된 전문가를 채용하는 것이 중요하다.

외부 컨설턴트와 자문가를 적극 활용함으로써 위험 헷지와 성장이 가능해 지는데, 전략 계획, 운영 효율성 및 시장 확장에 대한 중요한 통찰을 제공할 수 있는 외부 전문가와의 협력이 중요하다. 이러한 컨설턴트는 기업가의 단점을 식별하여 구체적인 보완 방법을 제시하고, 장점을 극대화하는 방법을 제시하고, 복잡한 문제에 대한 해결책을 제공하며, 회사의 성장 단계를 안내해 줄 수 있다.

지속적인 학습을 통한 기업가의 자가 성장은 기업가의 그릇을 키우는데 큰 도움이 된다. 최고 경영자 및 기업가는 경영 과정, 세미나, 워크숍 등을 통한 지속적인 교육에서 큰 깨달음을 얻을 수 있으며 이러한 플랫폼을 통해 네트워킹 기회, 최신 연구 접근 및 글로벌 비즈니스 관행에 대한 경험을 얻을 수 있다.

## 2. 등산에 있어서 외부 지원의 역할

유사한 원칙이 등산에도 적용되는데, 등산 공동체의 집단적 지혜와 경험을 통해 고독한 여행이 강화되는 경우가 많다.

정보 공유 관점에 보면, 다양한 트레일과 조건에 대한 지식 부족과 같은 단독 하이킹의 한계는 더 넓은 등산 커뮤니티와의 참여를 통해 보완될 수 있다. 블로그, 포럼 및 가이드북은 다양한 경로, 안전 예방 조치 및 환경 고려 사항에 대한 등반가의 이해를 높여 줌으로써 안전하고 편안하고 즐길 것을 즐길 수 있는 산행으로 연결시켜 준다.

초보 등반가는 실용적인 조언을 제공하고 필수 기술을 가르치며 수년간의 등반에서 얻은 귀중한 통찰력을 공유할 수 있는 숙련된 산악인이나 전문 가이드의 지도를 통해 훌륭한 등반가로의 성장에 큰 도움을 받을 수 있다.

등산 커뮤니티는 멘토링과 경험 공유 문화를 조성하는 경우가 많다. 단체 하이킹에 참여하거나, 등산 클럽에 가입하거나, 온라인 포럼에 참여하면 지원, 격려, 동료애를 얻을 수 있어 여행이 더욱 안전하고 만족스러워질 수 있다.

기업가 정신과 등산은 모두 개인적인 결단력과 외부 지원의 조화를 통해 성장하게 되는데, 협업, 전문가 지도, 지역사회 지원의 가치를 인식하면 비즈니스 성공과 등산 성취를 향한 여정이 크게 향상될 수 있다. 개인의 노력과 외부 지원 사이의 이러한 공생 관계는 다른 사람의 경험과 지식을 통해 배우고 성장할 준비가 되어 있는 개방적이고 수용적인 사고방식을 채택하는 것의 중요성을 강조하고 있다.

# 7장

기업가정신,
킬리만자로의 표범

우리나라 노래 중에 산을 주요 배경으로 하는 유명 가요가 있다. "킬리만자로의 표범"은 대한민국의 유명한 가수 조용필이 부른 노래로, 주요 주제는 인생의 어두운 터널에서 어려움에 과감히 맞서는 사람을 비겁한 하이에나가 아닌 높고 추운 킬리만자로 산에서도 죽는 것을 두려워하지 않고 과감히 도전하는 표범에 비유하였다. 이 노래는 포기하지 않는 정신과 도전을 상징하며, 기업가 정신과 여러 면에서 유사점을 가지고 있다.

# 1. 도전과 모험의 정신

"킬리만자로의 표범" 노래는 킬리만자로 산 정상에 오르려는 표범의 끝임없는 도전을 묘사한다. 이는 기업가가 시장에서 성공하기 위해 끝임없이 새로운 도전에 맞서는 정신과 유사하다.

기업가 정신은 불확실한 시장 환경에서의 끝임없는 모험과 혁신을 추구한다. 이는 표범이 겪는 자연의 역경과 비슷하게, 끝임없는 변화와 도전 속에서 성장하는 것을 의미한다.

## 2. 극복해야 할 장애물

노래에서 표범은 험난한 산길에서 추위와 배고픔이라는 극한의 환경에 직면한다. 이는 기업가가 사업을 운영하면서 마주치는 여러 장애물과 유사하다.

기업가는 경쟁, 자금 조달, 시장 변화 등 다양한 장애물을 극복해야 한다. 이는 표범의 등산이라는 물리적 도전과 비슷한 점을 가지며, 이를 극복하는 과정에서 성장과 발전을 이룬다.

## 3. 끈기와 인내의 중요성

"킬리만자로의 표범"은 불굴의 의지와 인내를 상징한다. 표범은 어려움 속에서도 포기하지 않고 죽음을 무릅쓰고 최종 목표지점인 정상을 향해 나아간다.

기업가 정신 역시 이와 같은 끈기와 인내가 필수적이다. 사업이 처음에는 성공하지 못하더라도, 꾸준한 노력과 인내를 통해 결국 목표를 달성할 수 있다.

## 4. 성공과 실패의 교훈

　노래에서 표범은 결국 산 정상에 도달하지 못하고 죽음을 맞이할 수도 있는 상황을 이야기한다. 이는 도전정신은 성공에 이르지 못하더라도 그 과정에서 집중하고 그 결과에는 겸허하게 수용함을 상징한다. 기업가정신에서도 모든 사업이 성공적이지는 않지만, 실패에서 배우고 이를 교훈으로 삼아 더 나은 미래를 위한 준비를 할 수 있다.

　"킬리만자로의 표범"은 도전, 인내, 그리고 끈기라는 기업가 정신의 핵심 가치들을 반영하며, 이러한 가치들이 어떻게 개인이나 기업의 성장과 발전에 중요한 역할을 하는지를 보여준다.

# 8장

기업가정신, 그 최종 목표는 무엇인가?

기업가정신의 최종 목표는 무엇일까?

초기 창업을 해서 회사를 성장시켜 IPO로 상장을 하거나 상장 전이나 후에 적절한 가격에 M&A를 통해 매각하는 방법으로 EXIT을 하고 새로운 도전적인 기업을 만드는 것일 수도 있고 중견기업이나 대기업으로 성장시켜서 영원 불멸의 기업으로 만드는 것일 수도 있을 것 같다.

기업가정신의 최종 목표는 다양한 관점에서 정의될 수 있으며, 개별 기업가의 가치, 목표, 전략에 따라 달라질 수 있다. 여기 몇 가지 주요 관점을 정리한다.

# 1. IPO를 통한 상장

많은 기업가들에게 IPO(Initial Public Offering)는 회사를 증권 거래소에 공개적으로 상장시키고, 자본금을 추가로 확보하여 더 큰 성장을 도모하는 중요한 단계이다. 상장은 회사의 가치를 증명하고, 자본 시장에서 신뢰와 명성을 얻는 방법으로 여겨진다.

## ①. IPO의 의미

IPO는 기업이 주식을 공개적으로 발행하고, 주식 시장에서 거래 되게 하는 과정이다. 이는 기업이 성장과 확장을 위해 필요한 자본 을 모집하는 주요 수단으로, 주식 시장에 진입함으로써 기업의 가치 와 신뢰성을 공인받는 기회를 제공한다.

[ 장점 ]

**자본 확보** : IPO는 기업에게 대규모 자본을 유치할 수 있는 기회를 제공한다. 이 자본은 연구 및 개발, 시장 확장, 글로벌 시장 진출, 인수합병 등 다양한 성장 전략에 활용될 수 있다.

**기업 가치와 신뢰성 증가** : 공개 상장은 기업의 가시성과 신뢰도를 높이며, 이는 기업 가치의 상승으로 이어질 수 있다.

**주주와 직원의 이익** : 주식을 보유한 기존 주주와 직원들은 회사의 성공을 통해 재정적 이익을 얻을 수 있으며, 직원들에게는 주식옵션을 제공함으로써 동기 부여가 된다.

[ 단점 ]

**규제와 공개의 부담** : 상장 기업은 엄격한 재무 보고 및 규제 준수 요구를 받으며, 이는 추가적인 비용과 운영의 복잡성을 증가시킵니다.

**시장의 변동성에 대한 노출** : 주식 시장의 변동성은 기업 운영에 영향을 미칠 수 있으며, 주가 하락 시 기업 평판에 부정적인 영향을 끼칠 수 있다.

**경영의 독립성 감소** : 공개 상장을 통해 주주의 요구와 기대에 부응해야 하며, 이는 경영진의 의사결정에 영향을 미칠 수 있다.

IPO는 기업가정신의 일환으로, 기업의 성장과 비전 실현을 위한 중요한 전략적 결정이다. 이는 단순히 자본을 확보하는 것을 넘어서 기업의 가치와 영향력을 높이는 과정이며, 기업가의 궁극적인 비전 달성을 위한 중요한 단계로 간주될 수 있다. 그러나 이 과정은 기업에게 여러 장단점을 가져오며, 이를 신중히 고려해야 한다.

IPO(Initial Public Offering)를 통한 상장은 기업가정신과 연계하여 볼 때, 회사의 최종 목표가 아닌 성장 과정의 일부로 간주될 수 있다. 이 과정은 기업가의 비전을 실현하고, 기업을 다음 단계로 이끌기 위한 중요한 전략적 결정이다.

### ②. IPO와 기업가정신

**성장과 확장의 수단** : 기업가정신은 혁신, 성장, 시장 변화에의 대응을 중시한다. 이런 맥락에서, IPO는 기업이 추가적인 성장과 확장을 위해 필요한 자본을 확보하는 효과적인 방법이다.

**비전 실현의 단계** : 많은 기업가들은 자신의 비전을 현실화하고, 사업을 규모 있게 성장시키고자 한다. IPO는 이러한 비전을 달성하기 위한 자금을 마련하고, 기업의 브랜드 가치를 높이는 과정이다.

**기업 문화와 가치 전달** : IPO는 기업 문화와 가치를 더 넓은 대중에게 전달하는 기회를 제공한다. 이를 통해 기업은 자신의 사명과 비전을 공유하고, 더 큰 영향력을 발휘할 수 있다.

## 2. M&A를 통한 매각

기업을 성장시킨 후 적절한 시점에 M&A(인수합병)를 통해 매각하는 것은 기업가에게 중요한 이정표가 될 수 있다. 이는 투자자에게 수익을 돌려주고, 창업자에게 새로운 기회를 모색할 자본을 제공한다.

M&A(인수합병)를 통한 매각은 기업가정신의 관점에서 볼 때, 회사의 성장 및 발전 단계에서 중요한 전략적 결정이다. 기업가들은 M&A를 통해 회사의 가치를 극대화하고, 창업한 사업의 미래 성장을 위한 새로운 기회를 모색할 수 있다.

전략적 비즈니스 결정

M&A는 기업가가 자신의 회사를 더 큰 조직에 통합시키거나 다른 기업에 매각함으로써, 사업의 성장과 확장을 도모하는 전략이다.

이 과정은 기업가의 장기적인 비전과 목표 달성을 위한 중요한 단계로 여겨질 수 있다.

## [ 장점 ]

**자본 확보와 성장 가속화** : M&A를 통해 기업은 필요한 자본을 확보하고, 더 큰 규모의 사업으로 확장할 수 있다. 매각을 통해 얻은 자금은 기업가에게 새로운 사업 기회를 모색하거나 기존 사업을 더욱 발전시키는 데 사용될 수 있다.

**시장 점유율 및 네트워크 확장** : M&A는 기업가에게 더 넓은 시장 접근과 고객 기반 확장의 기회를 제공한다. 이는 기업가의 사업이 더 큰 규모의 시장에서 영향력을 행사할 수 있도록 한다.

## [ 단점 ]

**경영 독립성의 상실** : 기업이 다른 조직에 통합되거나 매각되면, 기업가는 경영에서의 일정 부분 독립성을 상실할 수 있다. 이는 기업가의 비전과 전략이 새로운 조직의 목표와 조화를 이루어야 함을 의미한다.

**문화적 충돌 및 통합 문제** : M&A 과정에서는 서로 다른 기업 문화와 시스템의 통합에 따른 어려움이 발생할 수 있다. 이러한 문화적 충돌은 기업 운영에 부정적인 영향을 끼칠 수 있으며, 효과적인 통합 전략이 필요하다.

M&A를 통한 매각은 기업가정신의 관점에서 볼 때, 사업의 성장과 발전을 위한 중요한 전략이다. 이는 자본 확보, 시장 확장, 네트워크 구축 등의 장점을 가지지만, 경영 독립성의 상실, 문화적 충돌과 같은 단점도 고려해야 한다. 따라서 M&A 결정은 신중한 분석과 전략적 계획을 바탕으로 이루어져야 한다.

# 3. 장기적인 기업 성장과 지속 가능성

일부 기업가들은 회사를 대기업으로 성장시키고 장기적으로 운영하는 것을 목표로 한다. 이러한 접근은 브랜드의 영속성, 시장에서의 지속적인 영향력, 장기적인 사회적 가치 창출에 중점을 둔다.

장기적인 기업 성장과 지속 가능성은 기업가정신의 중요한 목표 중 하나이며 이 접근 방식은 기업이 단기적인 이익을 넘어서 장기적인 성공과 영향력을 추구하는 데 중점을 둔다. 장기적인 기업 성장과 지속 가능성의 의미를 살펴 본다.

**장기적 성공의 추구** : 이 목표는 단순히 재정적 이익을 넘어서, 기업의 지속 가능한 성장과 발전을 추구한다. 이는 장기적인 사업 전략, 혁신, 지속 가능한 관행을 포함한다. 장기적인 성장은 기업이 시장 변화에 적응하고, 지속적인 가치 창출을 통해 안정적인 발전을 이루는 것을 의미한다.

**지속 가능한 경영** : 지속 가능한 경영은 환경적, 사회적, 경제적 책임을 중시하며, 이를 통해 장기적인 기업 가치와 사회적 영향을 고려한다. 이는 기업이 사회와 환경에 긍정적인 영향을 미치며 성장하는 방식을 강조한다.


[ 장점 ]

**시장에서의 장기적 안정성** : 장기적인 성장 전략은 기업이 시장 변화에 유연하게 대응하고, 경쟁 우위를 유지하는 데 도움을 준다. 지속 가능한 경영은 소비자와 투자자로부터 신뢰를 얻고, 장기적인 고객 관계를 구축하는 데 기여한다.

**사회적 책임과 브랜드 가치**: 지속 가능한 경영은 기업의 사회적 책임을 강화하고, 이를 통해 브랜드 가치를 높일 수 있다. 환경 보호, 사회적 공헌 등은 기업의 이미지를 긍정적으로 만들고, 고객과 커뮤니티와의 긴밀한 관계를 형성한다.


[ 단점 ]

**초기 비용과 투자** : 장기적인 성장과 지속 가능한 경영을 위한 초기 투자 비용이 클 수 있다. 지속 가능한 제품 개발, 기술 혁신, 사회적 책임 활동 등은 단기적으로는 비용이 많이 들 수 있다.

**변화에 대한 저항** : 기업 내부 또는 외부에서 지속 가능한 변화에 대한 저항이 발생할 수 있다. 장기적인 변화를 위한 조직 문화와 시

스템의 변화는 종종 도전적일 수 있으며, 이는 기업의 발전 속도를 늦출 수 있다.

장기적인 기업 성장과 지속 가능성은 기업가정신의 중요한 목표로, 시장에서의 안정성, 사회적 책임, 지속 가능한 발전을 추구한다. 이러한 접근은 장기적인 관점에서 기업 가치와 사회적 영향력을 높이는 데 중점을 두며, 동시에 초기 비용과 변화에 대한 도전을 극복해야 하는 과제를 안고 있다.

## 4. 사회적 영향과 혁신

많은 기업가들은 단순한 재정적 성공 뿐만 아니라, 사회에 긍정적인 영향을 끼치고 지속 가능한 혁신을 추구하는 것을 목표로 삼다. 이는 기업의 사회적 책임과 지속 가능한 발전에 기여하는 방법으로 인식된다.

사회적 영향과 혁신은 기업가정신에서 중요한 목표 중 하나로, 기업 활동을 통해 사회적 가치를 창출하고 긍정적인 변화를 주도하는 것을 의미하며 이는 단순히 경제적 이익을 넘어서 사회적, 환경적 책임을 강조하는 접근 방식이다. 사회적 영향과 혁신의 의미를 분석해 보면 아래와 같다.

사회적 책임의 실천 : 기업은 고용 창출, 환경 보호, 지역 사회 개선 등을 통해 사회에 긍정적인 영향을 미칠 수 있다. 이러한 활동은 기업의 사회적 책임을 실현하고, 지속 가능한 성장을 추구하는 데 중요하다.

혁신을 통한 사회적 가치 창출 : 혁신은 기업이 사회적 문제를 해결하고, 새로운 기회를 창출하는 주요 수단이다. 예를 들어, 지속 가능한 기술, 사회적 기업, 친환경 제품 개발 등은 혁신을 통해 사회적 가치를 창출한다.


[ 장점 ]

**기업 이미지와 신뢰성 향상** : 사회적 영향력과 혁신은 기업의 긍정적인 이미지를 구축하고, 소비자와 투자자의 신뢰를 얻는 데 기여한다. 이는 브랜드 가치를 강화하고, 장기적인 고객 충성도를 높일 수 있다.

**시장에서의 경쟁 우위** : 사회적 책임과 혁신은 경쟁사와 차별화되는 요소로 작용할 수 있다. 이는 새로운 시장 기회를 창출하고, 장기적으로 기업의 경쟁력을 강화하는 데 도움이 된다.


[ 단점 ]

**초기 비용과 투자** : 사회적 영향과 혁신을 위한 활동은 초기에 높은 비용과 투자가 필요할 수 있다. 이는 단기적인 재정적 부담을 가중시킬 수 있다.

**성과 측정의 어려움** : 사회적 영향과 혁신의 성과는 재정적 성과와 달리 측정하기 어려울 수 있다. 이는 투자의 효과를 평가하고, 사업 전략을 조정하는 데 도전이 될 수 있다.

사회적 영향과 혁신은 기업가정신의 중요한 목표로, 경제적 성공 뿐만 아니라 사회적 가치 창출에 중점을 둔다. 이러한 접근은 기업의 긍정적인 이미지 구축과 시장에서의 경쟁 우위를 가져다 주지만, 초기 비용과 성과 측정의 어려움과 같은 단점도 고려해야 한다. 따라서 기업은 사회적 영향과 혁신을 추구하면서 재정적 지속 가능성을 유지하는 균형을 찾아야 한다.

## 5. 개인적 성취와 자기 실현

기업가정신은 종종 개인적인 성취와 자기 실현의 수단으로 본다. 창업과 기업 운영을 통해 자신의 비전과 열정을 실현하고, 개인적인 성장을 경험하는 것이 많은 기업가들에게 중요하다.

개인적 성취와 자기 실현은 기업가정신의 중요한 목표 중 하나로, 기업 활동을 통해 개인의 꿈과 목표를 실현하는 것을 의미한다. 이는 단순히 재정적 이익을 넘어서, 자신의 가치와 열정을 사업에 반영하고, 개인적으로 의미 있는 성공을 이루는 것을 강조한다. 개인적 성취와 자기 실현의 의미는 다음과 같다.

**개인의 가치와 열정 반영** : 기업가는 자신의 가치관, 열정, 창의력을 사업에 반영하여 개인적인 비전을 실현한다. 이 과정은 기업가가 자신의 아이디어와 신념을 현실로 만들어 나가는 과정이다.

자기 만족과 성취감 : 기업을 성공적으로 운영하고 성장시키는 것은 기업가에게 큰 만족감과 성취감을 제공한다. 이는 자신의 노력과 능력이 실제 결과로 나타나는 것을 경험하는 것이다.

## [ 장점 ]

**동기 부여와 열정** : 개인적인 목표와 꿈을 실현하기 위한 노력은 기업가에게 강력한 동기 부여가 된다. 자신의 비전을 추구하는 것은 지속적인 열정과 동기를 유지하는 데 도움이 된다.

**개인적 성장과 발전** : 사업을 통한 도전과 경험은 개인적인 성장과 발전을 촉진한다. 다양한 문제 해결, 새로운 기술 습득, 리더십 개발 등은 개인의 역량을 강화한다.

## [ 단점 ]

**개인적 위험과 스트레스** : 자신의 비전을 실현하기 위한 과정은 높은 개인적 위험과 스트레스를 수반할 수 있다. 실패에 대한 부담감과 불확실성은 기업가에게 큰 정신적 압박을 줄 수 있다.

**균형 유지의 어려움** : 사업에 몰두하는 과정에서 개인 생활과의 균형을 유지하는 것이 어려울 수 있다. 가족, 건강, 여가 등 다른 측면의 삶이 소홀히 될 위험이 있다.

개인적 성취와 자기 실현은 기업가정신에서 중요한 목표로, 자신의 가치와 열정을 사업에 반영하고 개인적으로 의미 있는 성공을 추구하는 것을 의미한다. 이는 강력한 동기 부여와 개인적 성장을 가져다주지만, 동시에 개인적 위험과 균형 유지의 어려움을 동반한다. 따라서 기업가는 자신의 비전을 추구하면서도 개인적인 삶과의 균형을 찾는 것이 중요하다.

결론적으로, 기업가정신의 최종 목표는 단일한 정의로 한정하기 어렵다. 각 기업가의 가치관, 비전, 상황에 따라 다양한 목표를 추구할 수 있으며, 이는 시간이 지남에 따라 변화할 수도 있다.

# 9장

기업가정신, 새로운 화두

2000년대 이후 기업가정신에서 강조되는 최근 트렌드에는 여러 가지가 있다. 이러한 트렌드는 기술의 발전, 글로벌 경제의 변화, 그리고 사회적 인식의 변화에 크게 영향을 받고 있다.

# 1. 디지털화와 기술 혁신

인터넷과 디지털 기술의 발전은 기업가들이 사업을 운영하고 시장에 진입하는 방식을 변화시켰다. 이에 따라 전자상거래, 소셜 미디어 마케팅, 클라우드 컴퓨팅 등이 기업가들에게 중요한 도구가 되었다.

디지털화와 기술 혁신은 기업가정신의 핵심 트렌드로 자리 잡았으며, 이 변화는 여러 측면에서 비즈니스 운영과 시장 접근 방식을 근본적으로 바꾸어 놓았다.

**디지털 기술의 발전** : 인터넷, 모바일 기술, 클라우드 컴퓨팅의 발전은 기업들에게 새로운 기회를 제공했다. 이를 통해 기업들은 더 넓은 시장에 접근하고, 효율적인 운영 방식을 구현할 수 있게 되었다.

**비즈니스 모델의 변화** : 디지털 기술은 전통적인 비즈니스 모델을 변화시켰다. 전자상거래, 디지털 마케팅, 온라인 서비스 등은 이제 기업 활동의 중요한 부분이 되었다. 이러한 변화는 소비자의 구매 방식과 상호작용을 변화시켰으며, 기업들은 이에 적응하기 위해 노력하고 있다.

**고객 관계의 디지털화** : 소셜 미디어, 데이터 분석, CRM(고객 관계 관리) 시스템의 활용은 고객과의 관계를 강화하는 데 중요한 도구가 되었다. 이는 기업이 고객의 요구를 더 잘 이해하고, 맞춤화된 경험을 제공하는 데 기여한다.

**혁신과 경쟁 우위** : 기술 혁신은 기업들이 경쟁에서 우위를 점하기 위한 중요한 요소이다. 새로운 기술의 도입은 비용 절감, 생산성 향상, 그리고 차별화된 제품 및 서비스를 제공하는 데 도움을 준다.

**지속적인 학습과 적응** : 디지털 환경은 빠르게 변화하며, 기업가들은 이러한 변화에 민첩하게 대응하기 위해 지속적으로 학습하고 적응해야 한다. 이는 기업가들이 최신 기술 동향을 파악하고, 이를 자신의 비즈니스 전략에 통합하는 것을 포함한다.

디지털화와 기술 혁신은 기업가들에게 끊임없는 기회와 도전을 제공한다. 이러한 환경에서 성공하기 위해서는 기술에 대한 깊은 이해, 새로운 기회에 대한 빠른 대응, 그리고 혁신적인 비즈니스 전략이 필요하다.

## 2. 지속 가능성과 사회적 기업가정신

환경 보호와 사회적 책임에 대한 인식이 높아짐에 따라, 지속 가능한 사업 모델과 사회적 기업가정신이 강조되고 있다. 이는 기업이 경제적 이익 뿐만 아니라 사회적, 환경적 영향도 고려해야 한다는 인식을 반영한다.

2000년대 이후, 지속 가능성과 사회적 기업가정신은 기업가정신의 중요한 트렌드로 부상했는데, 최근에는 ESG 개념으로 확장되면서 국제회계기준 주관 기관인 IFRS 및 유럽의 회계기준원에서 상장사의 ESG 공시의무를 강화하는 등 기업 활동이 경제적 이익 뿐만 아니라 환경적, 사회적 책임도 고려해야 한다는 것은 기업가의 선택이 아닌 의무가 되어가고 있다. 지속 가능성과 사회적 기업가정신의 의미를 다음과 같이 살펴본다.

**사회적 책임의 강조** : 기업은 이익 창출을 넘어서 사회적, 환경적 문제에 대한 책임을 짊어진다. 이는 기업이 자신의 사업 활동이 미치는 영향을 인식하고, 긍정적인 변화를 추구하는 것을 의미한다.

**환경 보호와 지속 가능한 운영** : 지속 가능한 기업 활동은 환경을 보호하고 자원을 효율적으로 사용하는 것을 목표로 한다. 이는 장기적으로 지구와 인류의 건강을 유지하는 데 기여한다.

**사회적 기업 모델의 채택** : 사회적 기업은 수익 창출과 사회적 목적을 동시에 추구한다. 이들은 사회 문제 해결을 사업의 핵심 목표로 삼고, 이를 통해 지역사회에 긍정적인 영향을 미친다.

[ 장점 ]

**사회적 신뢰와 기업 이미지** : 지속 가능성과 사회적 책임을 강조하는 기업은 사회적 신뢰를 얻고 긍정적인 기업 이미지를 구축한다. 이는 소비자와 투자자에게 매력적인 요소가 될 수 있다.

**장기적인 성공과 경쟁력** : 지속 가능한 경영은 장기적인 성공과 경쟁력을 높인다. 이는 지속 가능한 제품과 서비스에 대한 수요 증가와 규제 준수에 기여한다.

[ 단점 ]

**초기 비용과 투자** : 지속 가능한 제품 개발, 친환경 기술 도입, 사

회적 프로젝트는 초기에 높은 비용과 투자가 필요할 수 있다.

**수익성과 사회적 목적의 균형** : 수익성과 사회적 목적 사이의 균형을 맞추는 것은 어려운 과제일 수 있다. 특히, 사회적 목적이 수익 창출보다 우선할 때, 재정적 지속 가능성에 도전이 될 수 있다.


지속 가능성과 사회적 기업가정신은 기업이 사회적, 환경적 책임을 짊어지고 긍정적인 영향을 미치는 것을 강조한다. 이는 기업에게 사회적 신뢰와 이미지를 높여주는 장점이 있지만, 초기 비용과 투자, 수익성과 사회적 목적 사이의 균형 문제와 같은 도전도 존재한다.

## 3. 스타트업 문화와 혁신

21세기에 들어서면서 스타트업 문화가 확산되었다. 빠른 실패와 반복적인 학습, 혁신적인 아이디어 개발이 기업가정신의 핵심 요소로 부각되고 있다. 스타트업 문화와 혁신은 기업가정신의 중요한 트렌드로 자리매김했다. 이 트렌드는 기술 발전, 글로벌 경제의 변화, 그리고 사회적 인식의 변화에 크게 영향을 받고 있다. 스타트업 문화의 의미를 몇가지로 분석해 본다.

**민첩성과 유연성** : 스타트업 문화는 빠른 결정과 유연한 사고를 강조한다. 변화하는 시장 요구에 민첩하게 대응하고, 실패에서 빠르게 배우며 조정하는 것이 핵심이다.

**혁신적인 사고** : 스타트업은 혁신적인 아이디어와 창의적인 해결책을 추구한다. 전통적인 사고방식을 뛰어넘어 새롭고 혁신적인 방

식으로 문제를 해결하려는 노력이 중요하다.

**기업 문화와 가치** : 강한 기업 문화와 명확한 가치관은 스타트업의 핵심 요소이다. 이는 직원들의 열정과 참여를 촉진하고, 팀워크와 협업을 강화한다.


스타트업에서는 항시 혁신의 중요성이 강조되는 이는 시장 경쟁에서의 우위 확보 및 지속가능한 성장에 필수적인 요소이다. 시장에서의 경쟁 우위를 확보하기 위해서는 새로운 기술, 제품, 서비스를 적극 도입하여 시장에서 독특한 위치를 차지할 수 있어야 하며, 지속 가능한 성장을 위해서는 지속적인 혁신이 기본 정신이 되어야 하며 이는 새로운 시장 기회를 창출할 수 있도록 하며 기업의 지속 가능성 및 기업의 장기적 성장과 발전에 기여한다.


스타트업 문화와 혁신의 장단점

[ 장점 ]

민첩한 의사결정, 빠른 시장 진입, 창의적인 문제 해결이 가능하다. 직원들의 창의력과 혁신적 사고를 촉진하며, 직장 내 동기부여와 만족도를 높일 수 있다.


[ 단점 ]

높은 위험과 불확실성을 수반할 수 있다. 혁신적인 시도는 실패의 가능성도 내포하고 있다. 빠른 성장과 변화는 조직 내에서 관리의 어려움을 초래할 수 있으며, 이는 구조적인 도전이 될 수 있다.

스타트업 문화와 혁신은 21세기 기업가정신의 핵심 요소로, 이를 통해 기업들은 빠르게 변화하는 시장 환경에서 적응하고 성장할 수 있다. 혁신적인 사고와 민첩한 행동은 경쟁 우위를 확보하고 지속 가능한 성장을 이루는 데 중요한 역할을 한다.

# 4. 글로벌화와 다양성

기술의 발전과 함께, 기업가들은 전 세계적인 시장에 접근할 수 있게 되었다. 이에 따라 글로벌 시장에 적합한 전략 개발과 문화적 다양성의 이해가 더욱 중요해졌다.

글로벌화와 다양성은 현대 기업가정신의 핵심 트렌드로, 기업 활동이 전 세계적으로 확장되고 다양한 문화와 시장에 적응해야 하는 필요성을 반영한다.

글로벌화의 의미를 다음과 같이 살펴본다.

**전 세계 시장 진출** : 글로벌화는 기업이 국내 시장을 넘어 전 세계 시장에 진출하는 것을 의미한다. 이를 통해 기업은 더 넓은 고객층과 시장 기회에 접근할 수 있다.

**세계적인 네트워크 구축** : 국제적인 네트워크를 구축하는 것은 글로벌 시장에서 성공하기 위해 필수적이다. 이는 다양한 지역의 파트너, 공급업체, 고객과의 관계를 포함한다.

**글로벌 경쟁** : 글로벌 시장에서의 경쟁은 기업에게 새로운 도전을 제공한다. 이는 현지 시장의 특성을 이해하고, 글로벌 경쟁자와 경쟁하기 위한 전략을 개발하는 것을 의미한다.

다양성 관점에서는 아래의 의미를 찾을 수 있다.

**문화적 다양성의 수용** : 다양한 문화와 배경을 가진 고객과 직원을 이해하고 포용하는 것은 현대 비즈니스에서 중요하다. 이는 글로벌 시장에서의 효과적인 커뮤니케이션과 관계 구축에 필수적이다.

**다양한 시장 요구에 대응** : 다양한 시장의 요구에 맞춘 제품과 서비스 개발은 글로벌 시장에서의 성공을 위해 필요하다. 이는 현지화 전략과 맞춤형 솔루션 개발을 포함한다.

글로벌화와 다양성의 장단점

**[ 장점 ]**

더 넓은 시장 접근과 고객층 확대를 통한 성장 기회 제공하며 다양한 문화적 배경에서 영감을 받아 혁신적인 아이디어와 솔루션 개발이 가능해진다.

[ 단점 ]

글로벌 시장의 복잡성과 경쟁 증가로 인한 경영상의 도전이 야기될 수 있고 문화적 차이와 언어 장벽으로 인한 커뮤니케이션 및 운영상의 어려움이 있을 수 있다.

결론적으로, 글로벌화와 다양성은 기업들에게 넓은 시장 접근과 다양한 고객층과의 관계를 제공하지만, 동시에 경영 및 운영상의 도전을 안겨준다. 이러한 트렌드에 적응하기 위해서는 글로벌 시장의 이해와 문화적 다양성에 대한 감각이 필요하다.

## 5. 개인화 및 사용자 경험 중심

소비자의 니즈에 더욱 밀접하게 반응하는 개인화된 제품과 서비스가 강조되고 있다. 사용자 경험을 중심으로 한 사업 전략이 기업의 성공에 중요한 요소가 되었다. 2000년대 이후 기업가정신에서 중요한 트렌드 중 하나로 개인화 및 사용자 경험 중심 접근이 자리잡고 있다. 이 트렌드는 기술의 발전과 소비자의 기대 변화에 따라 강조되고 있다.

개인화의 의미로 두가지 측면을 보고자 한다.

**맞춤형 제품과 서비스** : 개인화는 소비자의 특정 요구와 선호에 맞춘 맞춤형 제품과 서비스를 제공하는 것을 의미한다. 이는 고객의 만족도를 높이고, 브랜드 충성도를 강화하는 데 기여한다.

**데이터 분석과 인사이트** : 데이터 분석과 고객 인사이트를 활용하여 개인화된 경험을 제공한다. 이는 고객의 구매 이력, 행동 패턴, 선호도 등을 분석하여 개인에게 맞는 제품이나 서비스를 추천하는 데 사용된다.

사용자 경험 중심은 다음과 같이 두가지 측면이 있다.

**고객 만족의 최우선** : 사용자 경험 중심 접근은 고객 만족을 최우선으로 두고, 모든 접점에서 고객에게 긍정적인 경험을 제공하려는 노력이다. 이는 웹사이트 디자인, 고객 서비스, 제품 인터페이스 등 다양한 분야에서 고객의 경험을 최적화하는 것을 포함한다.

**피드백과 지속적 개선** : 고객 피드백을 적극적으로 수집하고 이를 기반으로 제품과 서비스를 지속적으로 개선한다. 이는 고객의 요구에 민첩하게 대응하고 만족도를 높이는 데 중요하다.

개인화와 사용자 경험 중심의 장단점

[ 장점 ]

높은 고객 만족도와 브랜드 충성도가 있으며, 맞춤형 제품과 서비스를 통한 시장에서의 차별화가 가능하다.

[ 단점 ]

개인화와 사용자 경험 향상을 위한 높은 비용과 자원 투입이 필요하고, 데이터 보안과 개인정보 보호에 대한 위험이 야기될 수 있다.

개인화 및 사용자 경험 중심 접근은 고객의 기대와 요구에 부합하는 맞춤형 솔루션을 제공함으로써, 기업과 브랜드의 성공에 핵심적인 역할을 한다. 그러나 이를 위한 지속적인 투자와 개인정보 보호에 대한 신중한 관리가 필요하다.

이러한 트렌드들은 기업가들이 시장에서 경쟁하고 성공하기 위해 고려해야 하는 중요한 요소들이다. 기술 발전, 지속 가능성, 혁신, 글로벌 시장의 이해, 그리고 고객 중심의 접근 방식은 현대 기업가들이 적극적으로 활용하고 발전시켜야 할 핵심 영역들이다.

# 10장

기업가정신, 등산과 ESG

요즘 경영의 화두로 ESG가 많이 거론되고 있다. 지구 온난화 등의 환경 문제(E), 기업의 사회적 기여(S) 및 기업의 지배구조(G) 관점에서 기업가 정신과 등산이 ESG에 어떠한 기여를 할 수 있을까?

# 1. 환경 (Environmental)

환경적 측면에서 기업가정신과 등산을 비교할 때, 두 분야 모두 지속 가능한 환경 보호에 중요한 역할을 할 수 있으며, 구체적인 사례를 통해 이를 살펴볼 수 있다.

기업가정신에서의 환경 보호 사례는 다음의 세가지로 정리하였다.

## ①. 친환경 제품 및 서비스 개발

지속 가능한 자원의 사용, 환경 보호를 중시하는 제품 및 서비스를 개발하여 환경에 기여할 수 있으며, 구체적인 사례로는 전기차 제조 회사인 테슬라가 화석 연료에 대한 의존도를 줄이고 지속 가능한 교통 수단을 제공함으로써 환경 보호에 기여하고 있다.

### ②.  지속 가능한 자원 사용

탄소 발자국을 줄이기 위한 고효율, 저에너지 제품과 기술 개발을 하여 환경에 기여할 수 있으며, 구체적으로 패션 분야의 스타트업들은 재활용 소재를 사용한 의류 제작을 통해 환경 보호에 기여하고 있다. 이러한 사례로는 '파타고니아'와 같은 브랜드가 있다.

### ③.  에너지 효율성 개선

폐기물 감소 및 재활용을 강조하는 제조 과정에서 환경에 기여하며, 그 사례로 구글과 같은 대기업은 데이터 센터의 에너지 효율을 개선하고, 재생 가능 에너지 사용을 늘려 탄소 발자국을 줄이고 있다.

등산에서의 환경 보호 방식은 아래의 경우가 있을 것이다.

### ①.  자연 보호 활동

나무 등 자연을 보호하는 방식을 통해 이산화탄소를 감축할 수 있으며, 등산로 보호 및 쓰레기 줍기 캠페인 등이 있을 수 있다. 등산 커뮤니티와 환경 단체들은 산을 깨끗하게 유지하기 위한 캠페인을 주최하며, 등산객들에게 쓰레기를 줍고, 자연을 보호하도록 권장한다.

### ②.  친환경 등산 장비 사용

지속 가능한 재료로 만들어진 등산 장비를 사용하고 장려함으로써 환경에 기여할 수 있는데, 등산 장비 제조업체들은 재활용 가능한 소재를 사용하거나 환경에 미치는 영향을 최소화하는 방식으로 장비를 제작하고 있다. '노스페이스'와 같은 브랜드가 이러한 예에 해당한다.

### ③. 환경 교육 및 인식 제고

등산 커뮤니티 내에서 환경 보호 의식 강화하는 방법도 있는데, 다양한 등산 클럽 및 조직에서는 회원들에게 환경 보호의 중요성에 대해 교육하고, 이를 실천하는 방법을 알려준다.

이러한 사례들은 기업가정신과 등산 활동 모두가 환경 보호에 긍정적인 영향을 미칠 수 있음을 보여준다. 기업은 혁신적인 제품과 서비스를 통해, 등산 커뮤니티는 활동을 통해 환경 보호에 기여하고 있다.

## 2. 사회 (Social)

환경적 측면에서 기업가정신과 등산을 비교할 때, 두 분야 모두 지속 가능한 환경 보호에 중요한 역할을 할 수 있으며, 구체적인 사례를 통해 이를 살펴볼 수 있다.

사회적 측면에서 기업가정신과 등산을 비교해보면, 두 분야 모두 사회에 긍정적인 영향을 미칠 수 있는 다양한 방법들이 있다. 각각의 분야에서 실제로 이루어지고 있는 구체적인 사례를 통해 이를 살펴본다.

기업가정신에서의 사회적 기여 사례는 다음과 같다.

### ①.  사회적 기업 운영

지역사회 문제 해결을 목표로 하는 사업 전략으로 사회에 기여할 수 있으며, 그 구체적 사례로 '탐스 슈즈(TOMS Shoes)'는 구매하는 모든 제품에 대해 개발 도상국 어린이들에게 신발을 기부하는 '하나 사면 하나 기부(One for One)' 모델을 운영하고 있다.

### ②.  다양성 및 포용성 증진

다양한 배경을 가진 직원 채용 및 포용적 기업 문화를 구축함으로써 사회에 기여할 수 있다. 많은 기술 회사들은 여성이나 소수 집단의 직원을 적극 채용하고, 다양성과 포용성을 강조하는 기업 문화를 조성하고 있다. 예를 들어, '마이크로소프트'와 '구글'은 다양성 증진을 위한 다양한 프로그램을 운영한다.

### ③.  공정 무역 및 윤리적 사업 관행

공급망에서의 공정한 거래와 윤리적 기준 준수를 통해 사회에 기여할 수 있으며, 그 사례로 '파타고니아(Patagonia)'와 같은 브랜드는 환경 보호와 윤리적 노동 조건을 중시하는 공급망 관리를 실천하고 있다.

등산에서의 사회적 기여 사례는 다음과 같다.

### ①.  사회적 활동 참여 및 자선 활동

지역사회와 연계된 등산 행사, 자선 등산, 지역사회 봉사를 통해 사회에 기여할 수 있으며, 그 사례로 등산 행사를 통해 자선 기금을 모으거나, 특정 사회적 이슈에 대해 인식을 높이는 캠페인을 진행하는 경우가 있다. 이러한 행사는 종종 지역사회나 사회적 목적을 지원한다.

### ②. 등산을 통한 사회적 포용 증진

장애인, 노약자 등을 위한 등산 프로그램 개발 및 지원을 통해 사회에 기여할 수 있으며, 구체적으로 장애인을 위한 특별 등산 프로그램을 운영하거나, 노약자와 아동을 대상으로 한 등산 교육 프로그램을 제공하는 등산 클럽이 있다.

### ③. 등산 문화의 보급과 교육

등산의 긍정적 영향을 널리 알리고, 안전 교육 제공함으로써 사회에 기여할 수 있으며, 등산 교육을 통해 안전 의식을 강화하고, 등산을 통한 건강 증진 및 사회적 교류의 중요성을 강조하는 커뮤니티가 많다.

이러한 사례들은 기업가정신과 등산이 어떻게 사회에 긍정적인 영향을 미치고, 다양한 방법으로 사회적 가치를 창출할 수 있는지를 보여준다. 기업들은 사회적 기업 모델, 다양성 및 포용성 증진, 공정한 사업 관행을 통해 사회에 기여하며, 등산 커뮤니티는 다양한 활동과 교육을 통해 사회적 포용과 건강 증진에 기여하고 있다.

# 3. 지배구조 (Governance)

지배구조(Governance)의 관점에서 기업가정신과 등산을 비교해 보면, 두 분야 모두 투명하고 책임 있는 운영을 통해 긍정적인 영향을 미칠 수 있다. 이러한 관점에서 구체적인 사례를 통해 각각의 분야에서의 지배구조 관련 기여를 살펴볼 수 있다.

기업가정신에서의 지배구조 관련 사례는 다음과 같다.

## ①. 투명한 경영 및 윤리적 결정

투명한 재무 보고, 윤리적인 비즈니스 결정 및 관행을 그 예로 들수 있으며, 구체적으로 '스타벅스'는 공급망 투명성을 강조하고, 윤리적 커피 조달을 위한 프로그램을 운영한다. 이는 소비자에게 신뢰를 제공하고, 지속 가능한 경영을 추구하는 예이다.

## ②. 지속 가능한 경영 전략

장기적인 지속 가능성을 위한 경영 전략 및 목표 설정을 통해 지배구조 개선에 기여할 수 있으며, 그 사례로 '유니레버(Unilever)'는 지속 가능한 생활을 촉진하는 장기적인 경영 전략을 수립하고 있으며, 이를 통해 환경 보호와 사회적 책임을 강화하고 있다.

## ③. 이해관계자 참여와 소통

기업과 직간접적으로 연관된 주주, 직원, 고객, 공급업체 등 이해관계자(Stakeholder)와의 활발한 소통과 참여이 지배구조 개선에 기여를 하여, 실제 다수의 기업들이 주주, 직원, 소비자와의 정기적인 소통을 강화하고 있으며, 이를 통해 다양한 이해관계자의 목소리를 경영에 반영하고 있다.

등산에서의 지배구조 관련 사례는 다음과 같다.

## ①. 등산 커뮤니티의 윤리적 운영

등산 클럽 및 조직의 투명한 운영 및 윤리적 관행을 통해 지배구조에 기여하며, 여러 등산 클럽이 회원들에게 투명한 정보를 제공하고, 안전 규정 준수를 강조한다. 이는 등산 활동의 안전성과 책임 있는 운영을 보장하는 방법이다.

## ②. 환경 및 사회적 책임 인식 강화

등산 커뮤니티 내에서의 지속 가능한 활동 강조하는 방법이 있으며 등산 관련 조직들은 자연 보호와 지역사회에 대한 책임을 강조하며, 이를 커뮤니티 내에서 실천하는 활동을 장려한다.

### ③. 안전 규정 및 지침 준수

안전한 등산 문화 조성을 위한 규정과 지침 준수 강조하는 방법이 있으며, 산악 구조팀과 같은 조직들은 안전 지침을 엄격히 준수하고, 등산객들에게 안전 교육을 제공함으로써 위험을 최소화하려고 노력한다.

이러한 사례들을 통해, 기업가정신과 등산 모두 지배구조 측면에서 투명성, 책임, 안전에 중점을 두며 긍정적인 영향을 미치고 있음을 볼 수 있다. 기업은 윤리적인 경영을 통해 신뢰를 구축하고, 등산 커뮤니티는 안전 규정 준수와 환경 보호에 기여하고 있다.

# 11장

Risk Seeker인가?

경영학 이론 중에서 위험에 대한 수용 정도에 따라 구분하는 이론으로 "위험 감수 선호 이론(Risk Preference Theory)"이 있다. 이 이론은 개인이나 조직의 의사 결정 과정에서 위험을 어떻게 인식하고 수용하는지를 설명한다. 기본적으로 세 가지 주요 유형으로 구분된다.

**위험 회피(Risk Averse)형** : 이 유형은 불확실성이나 위험을 기피하는 경향으로 가장 일반적인 성향이다. 위험 회피자는 확실한 결과를 선호하며, 불확실한 상황에서는 가능한 위험을 최소화하려고 한다.

**위험 중립(Risk Neutral)형** : 위험 중립적인 사람들은 위험을 특별히 좋아하거나 싫어하지 않는다. 그들은 위험과 관련된 이득과 손

실을 객관적으로 평가하고, 순수한 기대 수익을 기준으로 의사결정을 한다.

**위험 추구(Risk Seeking)형** : 위험 추구자는 불확실성과 위험을 적극적으로 추구한다. 이들은 더 큰 이득을 얻기 위해 높은 위험을 감수하는 경향이 있으며, 때로는 비합리적으로 높은 위험을 수용하기도 한다.

이 이론은 경영학 뿐만 아니라 경제학, 심리학, 재무학 등 다양한 분야에서도 중요한 개념으로 사용된다. 개인의 위험 선호도는 투자 결정, 기업 전략, 리더십 스타일 등 다양한 분야에 영향을 미친다.

기업가정신(Entrepreneurship)은 새로운 기회를 발견하고, 혁신적인 아이디어를 실행하여 가치를 창출하는 과정으로 정의될 수 있고 등산도 편안한 도시의 만족감을 버리고 굳이 등산 준비, 등산지로의 교통 이동, 등산지에서의 고된 등산, 복귀하고 나서의 근육통 등의 후유증을 감수하는 취미이다. 기업가정신 및 등산을 위험 감수 선호 이론의 세 가지 유형과 연결될 수 있다. 각 위험 감수 선호 유형이 기업가정신과 등산에 어떤 연관성이 있는 지 살펴보자.

위험 회피(Risk Averse) 기업가와 등산 : 위험 회피적 기업가와 등산가는 둘 다 안정성과 계획을 중시한다. 이들은 위험을 최소화하고자 노력하며, 예측 가능하고 제어 가능한 환경을 선호한다. 위험 회피적인 기업가는 보다 안정적이고 확실성이 높은 사업 기회를 추구할 가능성이 높다. 그들은 잘 계획된, 낮은 위험을 수반하는 사업 모델을 선호하며, 시장 변화나 경쟁에 대응하여 신중하게 의사 결정을 내린다. 이들은 보수적인 접근 방식을 통해 지속 가능하고 안정적인 성장을 추구한다. 예를 들어, 위험 회피적 기업가는 잘 설정된 시장에서 검증된 비즈니스 모델을 선택할 것이며, 위험 회피적 등산가는 날씨가 좋고 안전 장비가 잘 갖추어진 루트를 선택할 것이다.

위험 중립(Risk Neutral) 기업가와 등산 : 위험 중립적 기업가와 등산가는 위험과 보상을 객관적으로 평가한다. 그들은 적절한 준비와 계획을 통해 위험을 관리하려고 노력한다. 위험 중립적인 기업가는 위험과 보상을 객관적으로 평가한다. 그들은 이익과 위험 사이의 균형을 중시하며, 높은 수익을 가져올 수 있는 기회가 위험을 정당화한다고 판단될 때만 위험을 감수한다. 이러한 접근 방식은 합리적이고 계산된 의사결정을 중시하며, 혁신적인 아이디어와 안정적인 성장 사이의 균형을 추구한다. 예를 들어, 위험 중립적 기업가는 시장 분석을 통해 합리적인 투자를 결정하고, 위험 중립적 등산가는 철저한 준비와 훈련을 통해 적당한 난이도의 산을 등산한다.

위험 추구(Risk Seeking) 기업가와 등산 : 위험추구적 기업가와 등산가는 모험을 추구하고, 높은 위험을 감수하는 경향이 있다. 이들은 새로운 기회와 도전을 즐기며, 때때로 비전통적이거나 혁신적인 접근 방식을 취한다. 위험추구적인 기업가는 혁신적이고 파괴적인 아이디어에 매력을 느낍니다. 그들은 높은 위험을 감수하는 것을 두려워하지 않으며, 이를 통해 큰 성공을 달성할 수 있다고 믿는다. 이들은 시장에서 새로운 기회를 발견하고, 전통적인 사고방식을 뛰어넘는 독창적인 사업 모델을 개발하는 데 능숙한다. 위험추구적인 기업가정신은 종종 혁신적인 기술이나 산업을 형성하는 원동력이 된다. 예를 들어, 위험추구적 기업가는 불확실한 신기술에 투자할 수 있고, 위험추구적 등산가는 날씨나 환경이 불안정한 상황에서도 어려운 루트를 등산할 수 있다.

이러한 비교를 통해 우리는 기업가정신과 등산이 위험 수용도에 따라 어떻게 유사한 특성을 보이는지 이해할 수 있다. 이렇게 각 유형의 위험 선호도는 기업가정신의 다양한 측면을 반영하며, 이는 기업가가 어떻게 기회를 포착하고 사업을 운영하는지에 영향을 미친다. 각각의 접근 방식은 기업가의 성격, 경험, 환경에 따라 달라지며, 사업의 성공에 중요한 요소가 된다.

각 유형은 개인의 성향과 환경에 따라 다르게 나타날 수 있으며, 이는 해당 개인의 의사 결정 방식과 성공에 영향을 미친다.

맺음말

# 기업가정신, 그 끝없는 여정

 

많은 사람이 어려움에 처해서도 위안을 받고 즐겨 부르는 "킬리만자로의 표범" 노래의 가사 중에 필자는 아래의 두 구절을 좋아한다.

 

먹이를 찾아 산기슭을 어슬렁거리는 하이에나를 본 적이 있는가 짐승의 썩은 고기만을 찾아다니는 산기슭의 하이에나 나는 하이에나가 아니라 표범이고 싶다. 산정높이 올라가 굶어서 얼어죽는 눈덮인 킬리만자로의 그 표범이고 싶다

 

묻지 마라 왜냐고 왜 그렇게 높은 곳까지 오르려 애쓰는지 묻지를 마라

기업의 대표이사는 이사회의 대표이면서 직원 전체를 대표하는 법인의 대표이다. 기획팀이나 임원들과 함께 회사의 대소사를 회의를 통해 협의하며 회사의 의사결정시스템에 의해 많은 일에 대한 판단과 결정을 하지만, 실질적으로는 모든 기업의 일들은 대표이사가 결정을 하고 책임을 진다. 실제 법인인 기업이 불법을 저지르고 판사로부터 형사처벌을 받게 되면 법인이 피고가 되어 법인이 수형의 책임을 져야 하지만 법인은 무형이므로 그 기업의 대표이사가 감옥에 가야 한다. 그만큼 기업가정신에는 법적 책임이 같이 한다.

그 많은 의사결정을 하는 과정에서 대표이사는 고독해 질 수 밖에 없지만, 그 난관들을 극복하기 위한 도전정신이 잉태되어 있거나 하드 트레이닝 되지 않은 대표는 그 명이 짧을 수 밖에 없을 것이다.

선천적이던 후천적이던 이미 도전의식이 충전된 기업가 정신은 휘발성이 거의 없기 때문에 기업가는 새로운 도전에 목마르고 그 도전에서 존재의식과 삶의 행복을 충족시킨다. 이제 120세 시대이다. 이러한 도전의 에너지는 나이 듦에 따라 사그라들지 않고 끊임없이 샘물처럼 솟아나는 속성이 있고, 그러한 여정에서 기업가는 삶의 원동력을 찾게 되는 것이다.


등산인도 등산을 기획하고, 실행계획을 세우고, 등산장비와 산에서의 끼니를 준비하고, 실제 공룡능선까지 교통편으로 이동하고 실제 공룡능선까지 접근하기 위한 등산을 하고 산에서 1박을 하며 다음 날 실제 공룡능선을 완주하고 또 하산의 과정을 거치며 따뜻한 집으로 복귀하는 과정을 겪어야 한다. 실제 이러한 과정은 여럿이 하더라도 등산은 오롯이 본인의 독립적인 체력과 의지로만 완주가 가능하다. 이러한 도전과 등산지에서의 많은 의사결정 과정은 기업 가정신과 많이 닮아 있다.

공룡능선을 등산하면서 완주하는 시점에는 항시 육체적 정신적 고통이 뒤따르며, '왜 산에 왔을까?' 하는 생각이 자연스럽게 떠오른다. 하지만, 항시 공룡능선을 오르고 내리면서 공룡능선 자체의 경이로운 풍경과 공룡능선의 여러 봉우리에서 바라보는 천불동, 권금성, 화채봉, 대청봉, 중청봉, 서북능선, 울산바위, 달마봉 등의 감탄을 자아내는 신비로움은 그 고통에 대한 수익성 높은 보상을 눈과 가슴에게 안겨 주고 무사히 완주했다는 성취감은 그 무엇과도 바꿀 수 없는 가치를 부여해 준다. 또한 체력적으로 단련된 육체는 건강한 정신에 영향을 미친다.

이는 기업가가 기업을 설립하고, 데스 밸리는 넘어서는 어려움을 극복하고 운영하는 과정에서의 다양한 선택의 순간을 겪으며 언젠가는 해야 하는 Exit 과정에서 겪게 되는 정신적인 고통을 상쇄하는 경제적 보상이나 남으로부터의 존경 그리고 개인적인 성취감과 유사한 엔도르핀을 제공하는 것 같다.


30여년간 설악산을 매년 1회 이상 다녀왔으며 그 중에 25번 정도 공룡능선을 등산하면서 많은 분들과 공룡능선의 경이로움을 함께 하였는데 대부분 처음 공룡능선을 산행하면서 어려움을 겪었지만 모두 공통적인 산행 소감을 갖고 있었다.

지난 2023년 10월에 그 동안 혼자서만 즐겨 온 가을 공룡능선 1박2일 등산을 옆지기와 같이 했다. 옆지기는 첫번째 공룡능선 등산이라 특히 이튿날 공룡능선 등산이 체력적으로 힘이 들어서 해서 등산가방을 내가 두 개 짊어졌는데도 예정보다 완주까지 두세시간이 더 걸렸다. 중도에 헬기를 불렀으면 좋겠다는 농담도 할 정도로 힘 들어 했다.

그런 옆지기에게 하산하는 마지막 등산로에 공룡능선에 다시 오고 싶냐고 질문했다. 의례 등산 초보자들의 답변은 다시는 오지 않는다는 것인데, 옆지기는 힘든 다리와 편치 않아 보이는 얼굴을 하면서도 환히 웃으며 다시 오고 싶다고, 내년 가을에 또 오자고 하였다. 그 만큼 경이로운 공룡능선의 매력에 빠졌다는 얘기였다.


그런 것 같다.

공룡능선에 올라 풍광과 발 아래로 세상을 내려다보는 정상에서의 흥분과 내가 이루었다는 만족감은 다시 오르고 싶은 도전의식을 고취시키듯이, 기업을 창업하고 성장에 이르게 하고 또 다른 성장을 추구하는 기업가정신과 너무나도 닮아 온 것 같다.

공룡능선을 한 번 오르고 만족하고 끝내는 등산애호가도 있지만 대부분 공룡의 절경을 경험한 등산가들이 굳이 또 공룡에 오르려고 하는 것 처럼, 기업가정신을 가진 대부분의 기업가들은 정상 도전을 위해 체력을 비축하고 철저한 계획을 세우고 선택의 순간에 최적의 의사결정을 하며 산의 정상에 오르듯 중요한 도전에 성공하더라도 계속해서 미래에 새로운 도전을 준비하고 실행하는 과정에서 그 만족감을 찾는다.

이렇게 두 여정은 지속적인 과정이며 정상에 도달하는 것은 종료가 아니라 더 큰 여정의 일부이다.

    반복적인 일상이거나 평생 새로운 최적의 지향점을 목표로 하거나, 작거나 큰 새로운 도전을 계속 추구하며, 모든 종료가 새로운 시작임을 이해하는 인생의 지속적인 성장과 탐험 여정이었으면 한다.